LA GUERRE CONTRE MEUBLI-MART

Les Éditions TRANSCONTINENTAL inc.
1100, boul. René-Lévesque Ouest
24e étage
Montréal (Québec)
H3B 4X9
Tél. : (514) 392-9000
       1 800 361-5479

Révision :
Pascal St-Gelais

Correction d'épreuves :
Pierre Phaneuf

Conception graphique de la couverture :
Lucie Chabot

Photographie de la couverture :
Photo Claude Michaud

Photocomposition et mise en pages :
SIMD

Dépôt légal – 4e trimestre 1995
       Bibliothèque nationale du Québec
       Bibliothèque nationale du Canada

ISBN 2-921030-93-4

LA GUERRE CONTRE MEUBLI-MART

ALAIN SAMSON

Les Éditions
TRANSCONTINENTAL inc.

J'ai puisé l'inspiration pour écrire cet ouvrage dans
la grande générosité de tous ces gens d'affaires,
ces vendeurs et ces clients qui m'ont partagé
avec générosité leurs expériences
et leurs rêves.

Merci.

AVERTISSEMENT

Table des matières

Avant-propos

Il y a décidément peu de répit pour les héros. C'est comme si le destin, ayant déjà décidé de leur valeur, prenait un vilain plaisir à les éprouver. Il n'ont pas sitôt fait face à un défi que déjà, à l'horizon, se pointe un combat plus grand encore, une aventure plus hasardeuse, un face-à-face plus grandiose.

Vous êtes de cette trempe et, une fois encore, le destin vous a choisi. Vous êtes sur le point de vous engager dans une aventure que beaucoup ont subi jusqu'ici : voir un magasin à grande surface venir s'installer dans votre municipalité. Serez-vous à la hauteur? Parviendrez-vous à vaincre ce Goliath des temps nouveaux?

Un peu d'histoire

Il y a trois ans, un chasseur de têtes vous a offert un défi à votre taille : remettre sur ses pieds une entreprise manufacturière située à Saint-Louix et spécialisée dans la fabrication de mobiliers de chambre. Vous avez accepté. En moins d'un an, Meubles populaires a retrouvé la rentabilité et la croissance, sauvant ainsi les emplois de ses 300 employés[1].

---

[1] Samson, Alain, *La Stratégie du président*, Les Éditions Transcontinental inc., Montréal, 1995, 248 p.

Du même coup, votre valeur sur le marché a explosé. Les offres ne manquaient pas : mandats de redressement chez les uns, de croissance chez les autres. Vous auriez pu, à ce moment, profiter de votre réputation et vous la couler douce, si, bien entendu, les doux chants de l'entrepreneuriat ne vous avaient pas convaincu du contraire.

Vous vous étiez attaché à la population de Saint-Louix, et celle-ci vous le rendait bien. Pourquoi partir? Un commerce de meubles, les Ameublements Saint-Louix, était justement à vendre, et vous avez fait le saut. Aidé financièrement par une des actionnaires de votre ancien employeur, vous avez fait l'acquisition du commerce, il y a de cela un peu plus de deux ans.

Votre passage au commerce de détail ne s'est pas fait sans difficultés, mais vous êtes assez fier de vous. Les ventes sont en hausse, et votre connaissance des réseaux de distribution vous a permis de négocier de très bonnes ententes avec les manufacturiers et de gonfler confortablement votre marge bénéficiaire brute.

Dans quelques minutes, Chantal Lassonde, une ancienne collègue, passera vous voir au magasin. Meubli-Mart, un important détaillant de meubles, projette d'implanter une succursale à Saint-Louix. L'annonce doit être faite dans les semaines qui viennent, mais déjà une offre d'achat aurait été déposée pour acquérir un terrain situé près de chez vous.

Une nouvelle aventure

Vous vous apprêtez à vivre ce que beaucoup de détaillants ont vécu avant vous : l'arrivée d'un joueur bénéficiant d'importantes économies d'échelle dans son marché. Serez-vous en mesure de relever ce nouveau défi?

Cette fois-ci, vous ne devez pas sauver uniquement les emplois d'un patron et d'une vingtaine de subalternes, mais aussi toutes vos économies, que vous avez investies dans votre entreprise. L'arrivée de ce concurrent pourrait bien marquer la fin de vos rêves d'expansion ou de retraite dorée au soleil.

Saurez-vous compter sur vos alliés de la première heure? La population se rappelle-t-elle qu'il y a moins de trois ans, vous l'avez sauvée d'une catastrophe majeure? Qu'adviendra-t-il de cette marge bénéficiaire qui fait votre fierté? Mais ne précipitons pas les choses. En ce mardi matin de mars, vous êtes en train de conclure une vente et vous êtes à cent lieues de croire que, dans quelques minutes, le destin basculera.

Comment gagner?

Tout comme dans *La Stratégie du président*, la majorité des chapitres qui suivent se terminent par une question. Vous devrez choisir entre deux ou trois solutions stratégiques. Ces choix vous mèneront par la suite à d'autres chapitres. Petit à petit, votre commerce rivalisera avantageusement avec ce nouveau concurrent ou sera simplement écrasé sous le poids de l'adversaire.

Vous pouvez commencer l'aventure immédiatement en vous rendant au prologue ou, si vous désirez plus d'information, vous pouvez consulter le dossier confidentiel qui figure à la page 179. Vous y trouverez des renseignements comptables, stratégiques et commerciaux susceptibles d'éclairer votre combat.

Vous vous sentez comme David devant Goliath, mais sans sa fronde. Vous trouvez la situation fort injuste. Mais qui a dit que la vie était juste? Et rappelez-vous que Goliath n'avait jamais été vaincu jusqu'à ce qu'il rencontre David!

Prologue

La visite de Chantal

Vous terminiez une vente quand Chantal est entrée dans le magasin. Elle vous a immédiatement salué de la main et s'est engouffrée dans votre bureau, en prenant soin de laisser la porte ouverte derrière elle. Immédiatement, vous vous êtes dit que quelque chose d'important devait s'être passé, mais fidèle à votre habitude, vous avez pris le temps de bien conclure votre vente.

«En terminant, monsieur et madame Blais, laissez-moi vous féliciter pour votre achat et vous remercier pour la confiance que vous nous témoignez. C'est un plaisir de faire affaire avec des gens comme vous.»

Madame Blais est ravie de votre remarque. Elle saisit la main que vous lui tendez et renchérit à sa façon. «Vous savez bien que nous ne connaissons qu'un seul magasin de meubles. Et même du temps de M. Lavallée, c'est ici que nous achetions toutes nos choses. À la prochaine.

— À la prochaine.» Ils ont à peine touché la porte que vous donnez votre carnet de commandes à Julie, votre commis comptable, et vous vous dirigez vers votre bureau. «Retenez les appels. Je ne veux pas être dérangé.»

*

*   *

Vous n'êtes pas sitôt dans votre bureau que Chantal se lève et va fermer la porte. C'est le souffle court qu'elle commence : «J'aurais pu t'appeler mais j'ai décidé de venir te le dire en personne. Il fallait que tu sois mis au courant dans les plus brefs délais.

— C'est bien beau, tout cela, mais de quoi parles-tu? Ai-je gagné à la loterie sans le savoir? Quelqu'un est-il malade? Tu me sembles bien énervée, mais jusqu'ici tu ne m'as rien dit. Que se passe-t-il?»

Elle reprend son fauteuil, vous regarde et lâche le morceau : «Meubli-Mart s'installe à Saint-Louix. Ils ont l'intention d'ouvrir d'ici septembre.»

La nouvelle vous surprend. Cette chaîne n'a pas l'habitude d'ouvrir des succursales dans une localité comme la vôtre, où il y a, si nous tenons compte de toutes les banlieues, moins de 60 000 habitants. «De qui tiens-tu cette information? Si c'est de Lefebvre, il n'y a pas de quoi s'énerver.

— Selon une de mes amies, notaire de profession, ils ont déposé une offre d'achat sur un terrain, une offre conditionnelle à l'obtention d'un changement de zonage. La construction devrait débuter tout de suite après la prochaine rencontre du comité d'urbanisme. C'est du sérieux.

— Et où ont-ils l'intention de s'installer?

— Sur la 2ᵉ Allée, près de la caisse pop.

— Merde! C'est presque dans ma cour. Ce n'est vraiment pas une bonne nouvelle. De quoi a l'air leur compte chez Meubles populaires? Continuent-ils à croître comme avant?

— Leur croissance n'a pas arrêté. Leur développement dans les grands centres doit être terminé. Ils donnent vraiment l'impression de vouloir dominer le marché.» Elle soupire, puis se lève. «Écoute, s'il y a quoi que ce soit que je puisse faire pour te rendre service, n'hésite pas à m'appeler. Je suis prête à devenir membre de ton comité de crise si tu crois justifié d'en mettre un sur pied. Je dois maintenant y aller.

— Je te remercie de l'offre, mais je vais prendre le temps de digérer l'information avant d'arrêter une décision. Les gens de la municipalité sont très fidèles. Je ne crois pas qu'ils soient prêts à encourager des «étrangers». Et je vais en parler avec Rachel. Après tout, elle est copropriétaire de l'entreprise.»

Chantal vous tend la main. «Je reste disponible. C'est tout.»

Vous saisissez sa main et la remerciez. Quelques secondes après son départ, vous vous laissez retomber dans votre fauteuil, en vous massant doucement le crâne. Vous tirez une feuille du tiroir supérieur droit de votre secrétaire et vous y inscrivez les mots MARS, puis SEPTEMBRE. Six mois. Dans six mois, le loup sera dans la bergerie. Avez-vous ce qu'il faut pour lui faire face?

Vous étirez la main et saisissez le combiné téléphonique. Mieux vaut mettre votre actionnaire principale dans le coup. C'est la première chose à faire. Ensemble, vous pourrez décider de la meilleure voie à prendre. Vous reconnaissez immédiatement le crépitement électronique qui précède un message enregistré : «Bonjour. Vous êtes bien chez Rachel Weare. Je ne suis pas là pour l'instant mais, après le top sonore, laissez votre nom et un court message. Je vous rappellerai dans les plus brefs délais.

— Bonjour Rachel. J'aimerais te rencontrer quand tu seras disponible. Appelle-moi dès ton retour. Pourquoi ne pas souper ensemble ce soir?» Vous raccrochez et retournez sur la surface de vente. Vous sentez déjà que vous aurez beaucoup de mal à utiliser vos talents de vendeur aujourd'hui.

1

Que faisons-nous?

Il y a déjà un bon bout de temps que les gens du Canard argenté vous réservent la même table. Convenablement située, loin des oreilles indiscrètes, elle vous permet d'être à l'aise pour discuter des sujets les plus délicats sans craindre de voir vos préoccupations affichées dans l'hebdomadaire régional ou devenir les sujets des commérages de la semaine.

Mais cette fois-ci, n'importe quelle place aurait fait l'affaire. Rachel Weare a été tellement surprise d'apprendre la nouvelle que tout le repas s'est déroulé en silence. Vous en êtes déjà à votre second café quand elle décide enfin d'ouvrir la bouche. «Que devons-nous faire? Je nous croyais à l'abri de tels événements. J'avoue que la nouvelle me surprend au plus haut point.

— J'ai également été surpris. Mais j'ai un peu réfléchi depuis ce matin, et plusieurs idées m'ont traversé l'esprit. Je t'avouerai cependant que nos solutions ne sont pas très nombreuses.

— Et quelles sont-elles?

— Ce que nous ferons dépend de notre évaluation du risque. Si nous pensons que Meubli-Mart nous fera très mal, nous pourrions désinvestir. Libérer le maximum d'argent investi dans l'entreprise afin de diminuer nos risques d'affaires. De cette façon, s'ils viennent à bout de nous, nous n'aurons pas tout perdu.

— Qu'entends-tu par "désinvestissement"? Fermer le commerce?

— C'est une possibilité, mais ce n'est pas la seule. Nous pourrions liquider une partie de nos stocks, réduire nos comptes à recevoir ou nous concentrer uniquement sur les meubles. Les électroménagers ne nous donnent pas vraiment une bonne marge bénéficiaire et coûtent cher à entreposer. Il est entendu que si nous choisissons cette solution, nous aurons à décider comment nous la mettrons en branle et quelle ampleur nous sommes prêts à donner au désinvestissement.

— Nous pouvons également leur faire face. Rien ne nous dit qu'ils sont plus puissants que nous. Pourquoi ne pas les affronter? Je suis surprise de te voir parler de désinvestissement en premier. La fuite ne te ressemble vraiment pas.

— S'il s'agissait entièrement de mon argent, je serais peut-être plus fonceur. Mais...

— Et regarde l'épicerie SuperG. Tout le monde prédisait qu'elle forcerait les autres supermarchés à fermer en moins d'un an. Mais à part celui de M. Proteau, les autres magasins d'alimentation sont toujours ouverts.

— Oui. Si nous pensons que le danger n'est pas aussi grand qu'il n'en a l'air, faire face à ce nouveau compétiteur constitue une bonne solution. Ce qui nous laisse deux possibilités : continuer l'exploitation ou désinvestir et retirer une partie, sinon la totalité, de nos billes du jeu.»

Sur ce, Rachel sourit. «Nous avons une autre solution. Pourquoi ne pas faire des pressions sur le comité d'urbanisme afin qu'il refuse le changement de zonage? Ça ne devrait pas être impossible. Nous avons quand même aidé le maire Forcier lors des dernières élections.

— J'apprécierais qu'il nous retourne l'ascenseur. C'est vrai. C'est une autre possibilité. Alors, sur quoi nous baserons-nous pour choisir la voie à prendre? Allons-nous tirer à pile ou face?

— Avec trois possibilités, tirer à pile ou face ne serait pas sérieux. Écoute, je t'ai toujours fait confiance dans le passé et je te laisse décider. Mais il serait sage, selon moi, de mettre sur pied un comité de crise. On ne sait jamais d'où les bonnes idées peuvent arriver et, comme on dit si bien, deux, trois ou quatre têtes valent mieux qu'une.

— La création d'un comité de crise constitue une bonne idée si nous choisissons de continuer, mais je crois qu'il serait plus sage de travailler en groupe restreint si nous désinvestissons. Nous ne souhaitons pas que les gens se sentent menacés. Si nous décidons de fermer et qu'ils ne se voient plus d'avenir chez nous, ils choisiront peut-être de quitter le navire tout de suite et nous n'aurons rien gagné.

— Évidemment.

— Je vous les réchauffe?» dit le serveur. Il tient une cafetière et vous indique que vos tasses sont vides. Vous jetez un regard à Rachel qui secoue la tête en expliquant qu'elle a consommé sa ration de caféine hebdomadaire. Après votre refus, le serveur s'éloigne.

«Je te laisse décider. Tout ce que je souhaite, c'est être tenue au courant des décisions et des gestes qui seront posés. Je ne m'en fais pas outre mesure. Je suis certaine que tu feras pour le mieux.»

Ces propos, qui se veulent rassurants, ne vous font pas cet effet. Vous sentez une boule dans votre estomac, et elle n'est pas due au repas que vous venez de prendre. Cette boule, c'est de l'angoisse. Et voici que vous devez prendre une décision qui remettra probablement en question tout l'univers que vous avez construit au fil des ans.

Vous vous efforcez de sourire. «D'accord. Je ferai pour le mieux. Mais avoue que la situation n'est pas facile.»

*
*   *

Qu'allez-vous décider?

• **Si vous choisissez de bloquer le changement de zonage, passez au chapitre 2.**

• **Si vous choisissez le désinvestissement, passez au chapitre 3.**

• **Si vous choisissez de continuer, passez au chapitre 4.**

2

Rien de tel qu'un cœur de maire

Même s'il a été rénové il y a quelques années, l'hôtel de ville reste simple et sobre. On n'y retrouve aucune de ces boiseries grandiloquentes qui laissent supposer que les contribuables locaux sont plus fortunés qu'ils ne le sont en réalité. Vous avez téléphoné, le matin suivant votre souper au Canard argenté, en expliquant que vous souhaitiez rencontrer le maire Forcier dans les plus brefs délais. Ce dernier vous a simplement dit de venir le rencontrer tout de suite. Le fait de pouvoir être reçu sans rendez-vous augure bien; il se rappelle des efforts que vous avez faits lors de la dernière élection.

La secrétaire vous demande de la suivre et vous conduit dans le bureau du coin. Il n'y a rien de luxueux dans ce bureau. Des piles de dossiers jonchent le bureau de Forcier et vous pouvez distinguer, sur les rayonnages, le *Code civil* et la *Loi sur les municipalités du Québec*. Le maire se lève et vous tend la main. «Comment ça va? On ne s'est pas vus depuis les élections. Le commerce va bien?»

Après les salutations d'usage, la conversation se tarit et Forcier vous regarde fixement, en souriant. Le temps est venu de présenter l'objet de votre visite. Vous vous raclez la gorge. «J'ai appris hier que le conseil d'urbanisme devrait bientôt statuer sur une demande de changement de zonage qui pourrait, à très court terme, mettre en péril mon commerce et celui des autres marchands de meubles de la municipalité. Ces nouvelles sont-elles fondées?

— Il y a du vrai là-dedans. Un changement de zonage a été déposé concernant un lot de la 2e Allée. La rencontre du comité doit avoir lieu au début du mois prochain.» Jusqu'ici, il fait preuve de bonne volonté. La rencontre se passe bien.

— Je sais que le maire est d'office président de tous les comités, il préside donc le comité d'urbanisme, et qu'il dispose d'un pouvoir considérable. C'est bien vrai?

— Absolument.

— Serait-il possible, dans ce cas, de dire non à la requête? J'avoue que ce geste me ferait grand plaisir.»

Forcier secoue la tête. (Quelqu'un aurait-il baissé le chauffage? Il vous semble soudainement qu'il fait beaucoup plus froid dans la pièce.) «Je ne crois pas que ce soit possible. Le dossier sera évalué au mérite. Je sais qu'il n'est jamais intéressant de voir un concurrent s'établir près de chez soi, mais nous sommes en pays libre, et chacun a le droit d'installer son commerce où il le souhaite en autant qu'il respecte les règlements de zonage.

— Mais si vous devez changer le zonage, c'est justement parce que leur projet ne respecte pas les règlements. N'est-ce pas?

— Ce n'est pas tout à fait cela. Ils suivent la procédure normale, c'est tout. Et de plus, quels arguments voudrais-tu que j'utilise pour barrer le projet. Ce n'est tout de même pas une maison de débauche qu'ils ont l'intention de mettre sur pied!

— Pense à tout ce qui est en jeu. Nous payons des taxes municipales. Je fournis de l'emploi à 20 personnes...

28

— Ils parlent de créer plus de 60 emplois, et leur immeuble sera évalué à plus d'un million. La municipalité et l'ensemble des citoyens ont tout à gagner dans ce projet. Je dois penser au bien commun. J'espère que tu comprends.

— C'est bien entendu que, même si je faisais faillite demain, celui qui rachèterait mon immeuble devrait continuer à payer des taxes. Mais est-ce comme cela que l'on remercie quelqu'un qui a organisé une campagne de financement lors de la dernière élection municipale et qui a orchestré la distribution des circulaires de toute ton équipe? Je déteste rappeler ce genre de choses, mais...

— La question n'est pas là. J'ai apprécié la participation de tous les bénévoles lors de la campagne, et je ne suis pas prêt d'oublier ceux qui ont participé. Mais le dossier sera évalué au mérite. Un point c'est tout. Est-ce tout ce que tu avais à me dire? Avons-nous fait le tour de la question?»

Vous songez un instant au pot-de-vin. Les lèvres vous brûlent de lui demander combien il veut, mais vous vous ravisez et prenez simplement congé : «Dans ce cas, je n'ai rien d'autre à ajouter. Merci de m'avoir reçu aussi rapidement.

— Je suis là pour ça. À la prochaine!»

*
*   *

Le soir venu, vous êtes chez vous et vous réfléchissez à ce qui s'est passé et au concept de l'influence politique. Vous pourriez peut-être même écrire un livre avec les enseignements de la journée : *le pouvoir politique ne se base pas sur les services passés mais sur la capacité de rendre service dans l'avenir (ou de ne pas nuire). Pour augmenter son pouvoir politique, il faut avoir quelque chose à offrir et faciliter la décision souhaitée en prévoyant et en réglant à l'avance tous les obstacles que la personne rencontrera pour vous satisfaire.* Vous aviez espéré que le bénévolat passé

29

suffisait à vous mériter des faveurs. Il vous apporte, au mieux, la possibilité de rencontrer le maire sans rendez-vous. Le temps est venu de passer à une autre stratégie.

*

* *

Votre histoire se termine ici. Mais tout n'est pas terminé. Vous n'avez, somme toute, perdu qu'une demi-journée et vous pouvez encore réagir. Retournez vite au chapitre 1 et reprenez votre aventure. Votre sort n'en est pas encore jeté.

3

On rapetisse!

«Voici en gros les événements tels qu'ils se présentent. Je suis persuadé que ma décision est la plus sage. Nous ignorons quels dommages peut nous faire subir Meubli-Mart, et nous ne devons pas laisser tous nos œufs dans le même panier. Reste à savoir ce que nous ferons.»

Autour de la table, Denis Lafleur, votre comptable, et Julie Montour vous regardent. D'après leurs réactions, il est évident qu'ils auraient préféré de meilleures nouvelles. Lafleur est le premier à parler. «Dans ce contexte, je suggère la vente en bloc. Je conçois mal que votre entreprise puisse être amputée de la moitié de son inventaire et continuer à être rentable. Après tout, les clients veulent du choix. Alors, si vous songez à rapetisser, la meilleure solution demeure probablement la vente en bloc.

— Mais vous connaissez notre bilan. Comment trouverons-nous quelqu'un qui a les moyens d'acheter notre entreprise?

— C'est vrai que le gros de vos valeurs est immobilisé dans l'inventaire et que les institutions financières ne prêteront pas à long terme sur des meubles qui peuvent être vendus demain matin. Vous pourriez alors liquider progressivement et vendre plus tard, à l'automne.

— Le problème, c'est qu'à l'automne, à l'ouverture de Meubli-Mart, il faudra trouver un entrepreneur suicidaire pour acheter un magasin de meubles à Saint-Louix. Non, si nous liquidons progressivement, ce sera en vue de fermer nos portes. C'est tout à fait clair.

— Et l'immeuble, qu'en ferez-vous?

— Je pourrai toujours le louer ou le vendre. Je ne sais pas.»

Julie n'a pas parlé depuis le début et n'aime visiblement pas la teneur de la rencontre. Après tout, en liquidant le commerce, c'est son emploi qu'elle perd. Vous n'auriez peut-être pas dû l'inviter. D'un autre côté, elle connaît votre bilan et les opérations courantes sur le bout de ses doigts. «Et toi, Julie, qu'en penses-tu?

— Je suis tout à fait en désaccord avec ce que vous dites. On croirait que l'arrivée de Meubli-Mart, c'est l'Apocalypse. Il me semble que vous sautez vite aux conclusions épiques. Pourquoi n'arriverions-nous pas à survivre malgré cette arrivée?»

Vous avez bien fait de lui demander son avis, car elle n'a pas tout compris. «C'est possible que nous puissions faire face à Meubli-Mart. Mais, comme je le disais, les risques de perte sont énormes et j'aimerais m'assurer que si nous perdons la bataille, nous n'aurons pas tout perdu. Comme je le disais tout à l'heure, quand un géant s'installe dans notre marché, nous ne devons pas mettre tous nos œufs dans le même panier.

— Dans ce cas, il faudrait songer à la spécialisation.

— Explique-toi.

— Monsieur Lafleur a raison. Nous ne pouvons pas simplement liquider la moitié de l'entreprise et continuer à l'exploiter. Nous pourrions cependant liquider des rayons complets et devenir des spécialistes dans les domaines où nous continuerons de vendre notre marchandise.

— Donne des exemples.

— Nous pourrions devenir des spécialistes de la literie ou des électroménagers. De cette façon, vous arriverez à sortir de l'entreprise une partie du capital englouti tout en restant concurrentiel dans le ou les secteurs choisis.»

Lafleur hoche la tête. «Ce que Julie est en train de vous proposer, c'est d'identifier un créneau que Meubli-Mart ne dessert pas ou dessert mal, puis de devenir des spécialistes en la matière. C'est bien cela, Julie?

— Oui.»

Vous vous tournez vers Lafleur. «Et vous, qu'en pensez-vous?

— En tant que comptable, je continue à préférer la liquidation à la spécialisation. Après tout, je ne connais pas les points forts de Meubli-Mart; je ne suis donc pas en mesure d'identifier leurs faiblesses et de proposer une niche rentable. De plus...

— Oui?

— Même en vous spécialisant, vous devrez toujours continuer à chauffer, à entretenir et à assurer votre immeuble. Vos frais fixes ne diminueront pas beaucoup.

— Encore une fois, je ne suis pas d'accord. Nous pourrions installer des cloisons et louer une partie du local actuel. Cela créerait une source de revenu qui compenserait une partie de nos frais fixes.» Elle se tourne vers vous : «Si vous souhaitez retirer vos billes du jeu, je continue à suggérer la spécialisation. De toute façon, face à un géant, un magasin spécialisé et rentable sera plus facile à vendre qu'un magasin général.»

Elle n'a peut-être pas tort. Mais d'un autre côté, son jugement est sûrement influencé par l'idée que les deux autres solutions l'enverront au chômage. Vous vous imaginez difficilement annonçant à tous vos employés que vous liquidez dans le but de fermer. Comment garder le moral des troupes avec une telle annonce? Par ailleurs, vous doutez de la rentabilité d'un demi-magasin.

*

* *

Que décidez-vous?

• **Si vous choisissez la spécialisation, passez au chapitre 8.**

• **Si vous choisissez la vente en bloc, passez au chapitre 9.**

• **Si vous choisissez une liquidation, suivie de la fermeture, passez au chapitre 10.**

On continue!

Dès le lendemain de la rencontre avec Rachel, vous avez convoqué Daniel, votre expéditeur, Julie, votre commis comptable, et Gilles, votre gérant des ventes. Vous les avez alors mis au courant de la nouvelle et leur avez demandé de préparer, chacun de son côté, une proposition qu'il dévoilerait aux autres lors d'une rencontre à être tenue le samedi suivant, après la fermeture du magasin.

Samedi est arrivé. Le magasin est maintenant fermé, vous vous êtes installés autour d'une table placée au centre de la surface de vente. Des boissons et deux sacs de croustilles décorent la table. Vous terminez présentement votre laïus d'introduction : « ... et comme je vous l'ai dit mardi, j'ai l'intention de continuer. Ce n'est pas Meubli-Mart qui va me faire peur. Mais pour ce faire, j'ai besoin de vous tous, de votre créativité et de votre calme dans la tempête. C'est pour cela que je vous ai demandé de préparer des propositions. J'en ai également préparé une. Nous allons maintenant faire un tour de table et chacun y ira de la sienne. Daniel, veux-tu commencer?»

Daniel est visiblement le plus nerveux. C'est la première fois que vous l'intégrez à un tel groupe de discussion, et il aurait visiblement préféré ne pas être le premier à présenter son opinion. Il se racle la gorge et commence : «Écoutez, je ne suis pas un spécialiste des affaires, mais, comme vous le savez, je suis entraîneur dans le hockey mineur. Et que ferions-nous face à une équipe qui possède une meilleure fiche que nous? Quel serait notre plan de match? Nous commencerions par analyser le jeu de l'adversaire pour trouver où il est le plus faible. Par la suite, nous monterions une stratégie en conséquence et c'est ainsi que nous nous préparerions au match. C'est mon opinion.»

Gilles ne comprend pas. «Mais dans notre cas, ça veut dire quoi, ton affaire?

— Il faut se préparer à l'attaque, analyser Meubli-Mart. Savoir où il est bon et où il fait défaut. Par la suite, nous devons améliorer notre jeu, c'est-à-dire notre façon de travailler. Nous devrions alors être prêt pour la confrontation.»

Vous notez soigneusement ce qui vient d'être dit avant de prendre la parole. «Très bien. Merci Daniel. Si nous passions maintenant à Julie. Quelle serait ta stratégie face à l'arrivée de Meubli-Mart?»

Julie toussote un peu et déplie le papier qu'elle tenait dans les mains depuis le début de la rencontre. Il s'agit d'un texte qu'elle commence à lire. «Si nous souhaitons pouvoir sortir gagnant d'une lutte avec Meubli-Mart, nous devons être prêts au combat. Nous ne devons pas traîner de dépenses inutiles et nous devons aller chercher le chiffre maximum de vente que notre organisation est capable d'atteindre. Bref, nous devons maximiser les opérations actuelles. Une entreprise en santé peut faire face à tous les vents.»

Gilles trouve la proposition un peu naïve : «Mais on donne déjà notre maximum. Tu ne penses pas que si nous pouvions faire mieux, nous l'aurions déjà fait? On ne va tout de même pas fermer les lumières dans le magasin pour diminuer nos dépenses!

— Non. Bien sûr. Mais on donne souvent le meilleur quand on y est contraint. Quand mets-tu le plus de pression sur les clients? En début de semaine ou rendu au samedi, si tu sais que tes ventes de la semaine n'ont pas été bonnes? Il y a toujours moyen de faire mieux. Et de toute façon, c'est ton tour de nous faire part de ta proposition.»

Gilles étire le bras, dépose sa bouteille vide dans la caisse et en retire une autre qu'il ouvre immédiatement. Après avoir pris une première gorgée, il commence : «Ma suggestion est la plus simple. Je propose de ne rien faire et d'attendre. C'est un épouvantail à moineaux, ce Meubli-Mart-là. Nous connaissons nos clients mieux qu'ils ne le pourront jamais, et nos clients sont satisfaits. Nous pourrons toujours, quand ils ouvriront leurs portes, nous adapter à eux et mener une guerre de tranchée.

— Si je comprends bien, tu ne veux rien faire», réplique Julie.

Daniel semble surpris de la proposition. «Non! Pas du tout! Ce que je dis, c'est que nous faisons déjà quelque chose. Les ventes de cette année sont meilleures que celles de l'an passé. Et celles de l'an passé étaient meilleures que celles de l'année d'avant. Nous progressons, et je ne vois pas de raisons, pour l'instant, de mettre un X sur notre stratégie gagnante. Continuons comme nous le faisons présentement. Nous pourrons toujours voir venir.»

Vous inscrivez encore quelques notes dans votre carnet, puis vous intervenez : «Je vous avoue que je suis agréablement surpris par la qualité de vos propositions. Ce ne sera pas facile de faire un choix. Vos arguments sont excellents et, pour être franc, je suis presque gêné de vous faire part de ma proposition.»

Tous trois vous demandent en même temps de dévoiler votre proposition. L'ambiance joviale ne ressemble pas à celle qui règne au sein d'un comité de crise. On dirait plutôt un comité de gestion qui débat d'un point parmi tant d'autres à son ordre du jour. En compagnie de votre personnel clé, Meubli-Mart ne semble pas aussi menaçant.

«Alors, d'accord. À la demande générale, voici ma proposition. Nous savons que les gens aiment acheter chez le leader et qu'ils encouragent les gagnants. Jusqu'ici, nous n'avons pas eu de problème puisque le leader à Saint-Louix, c'est nous. Ma proposition consiste à faire en sorte de demeurer les leaders régionaux dans le meuble et l'électroménager. Qu'en pensez-vous?»

Julie répond : «Cela implique quoi, dans les faits?

— Je ne sais pas encore. Cela peut vouloir dire d'acheter un compétiteur, d'ouvrir des petites surfaces de vente dans les municipalités environnantes, d'agrandir nos installations actuelles. Ce qui est important dans une telle stratégie, c'est de passer pour le gagnant. Les gens aiment s'identifier au leader, et c'est en faisant du bruit que nous y parviendrons.»

Gilles est enthousiaste. «C'est une excellente idée. Nous avons les compétences pour nous imposer à l'échelle régionale.»

Julie l'est un peu moins. «Mais ce n'est peut-être pas une bonne idée d'investir à la veille d'une confrontation avec un géant. Cela revient à augmenter nos frais fixes tout juste avant une baisse de notre marge de profit. Je reste partisane de ma proposition.

— Le contraire m'aurait surpris», répond froidement Gilles.

La discussion se poursuit ainsi une partie de la soirée. Les arguments sont articulés et éclairés (sauf vers la fin de la réunion, mais, à ce moment, il ne reste plus de bière!) et peu à peu, vous reprenez confiance en l'avenir. Quoi qu'il arrive, vous savez que ces gens donneront leur maximum. Il reste maintenant à déterminer quelle proposition vous privilégierez. La décision vous revient, mais vous pouvez compter sur eux.

*
*   *

Qu'allez-vous décider?

• **Si vous choisissez d'attendre, de profiter de votre formule gagnante, puis de constater la force véritable de Meubli-Mart, passez au chapitre 5.**

• **Si vous décidez de maximiser les opérations actuelles de l'entreprise, passez au chapitre 6.**

• **Si vous optez pour le leadership régional, passez au chapitre 7.**

• **Si vous décidez de vous préparer un plan de match, passez au chapitre 41.**

5

Il faut agir!

La végétation n'avait pas encore revêtu ses costumes d'automne. Le temps restait sec et chaud, et seuls la réapparition des autobus scolaires et l'ouverture tant attendue de Meubli-Mart vous indiquaient que septembre était finalement arrivé.

La première pelletée de terre avait eu lieu en avril et, dès le mois de juillet, ils avaient commencé à annoncer massivement, tant à la radio que dans le journal local, expliquant aux consommateurs à quel point les marchands locaux les escroquaient et insistant pour dire qu'il fallait absolument qu'ils reportent leurs achats. Comptant sur l'appui de la clientèle locale, vous avez commencé par ridiculiser cette campagne publicitaire.

Mais la publicité avait fait son œuvre et, pour le mois d'août, les ventes avaient affiché un recul de 17 % par rapport au même mois de l'année précédente. Inutile de dire que, parce qu'ils sont payés à commission, cette chute de leur revenu personnel avait entraîné avec lui le moral des vendeurs. Dès le milieu d'août, on pouvait sentir le malaise en pénétrant dans le commerce. Mais le véritable coup avait été frappé le 20 août.

Ce jour-là, Guy Saint-Amant, un de vos bons vendeurs, avait annoncé qu'il passait à l'emploi de Meubli-Mart. La consternation n'avait pas diminué depuis et, malgré les encouragements que vous prodiguiez tous les jours à chaque vendeur, septembre serait vraisemblablement catastrophique.

*
*　　*

«Le temps est venu de faire quelque chose. On ne peut pas continuer à donner l'impression que nous avons abandonné avant même que la lutte commence. Il faut se ressaisir.» Gilles avait les traits tirés. Debout près de la vitrine d'électroménagers, vous discutiez en attendant les clients.

«Oui. Nous avions parlé d'attendre, puis d'aviser. Le temps est venu d'aviser.

— Avant que tout le monde se décourage. Patrick s'est énervé hier. Il a pratiquement mis à la porte un client qui en était à son troisième aller-retour entre le magasin et Meubli-Mart. C'est dur pour le moral. Mais que pourrions-nous faire?

— S'ils sont si forts que ça, et si leur recette est aussi bonne qu'on le dit, on pourrait carrément copier ce qu'ils font.

— Devenir Meubli-Mart? Comment?

— Je te donne un exemple. Ils ont quelqu'un à la porte qui salue les gens qui entrent. Je ne vois pas ce que ça donne, mais les clients doivent apprécier, sinon ils ne le feraient pas. Nous pourrions les copier sur ce point et sur d'autres.

— C'est une idée, mais pourquoi ne pas les battre? Pourquoi ne pas être meilleur qu'eux?

— Nous n'avons pas leur pouvoir. Ils sont beaucoup plus puissants que nous. Comment peut-on les battre?»

Est-ce votre imagination? Il vous semble que les traits de Gilles sont moins tirés. Le simple fait de chercher une solution semble avoir ranimé la flamme en lui. Si tel est le cas, vous devriez peut-être demander à tous les vendeurs de participer à cette recherche d'une stratégie. «Nous pouvons choisir un argument de vente et frapper dessus. C'est une chaîne, et il est probable que les décisions sont prises au siège social. Le gérant local ne doit pas avoir la marge de manœuvre requise pour réagir rapidement à une attaque de notre part.

Nous pourrions annoncer que nous battrons de 5 % les prix qu'accordent tous nos compétiteurs sur tous nos produits. De cette façon, les clients seront certains que c'est nous qui avons les meilleurs prix. Qu'en dis-tu?»

Patrick s'est approché et fait signe à Gilles qu'il aurait besoin de lui pour conclure sa vente. Gilles se tourne vers vous. «Je vais y aller. Il ne faudrait pas qu'il mette un autre client à la porte aujourd'hui.»

Une fois seul, vous repensez à la conversation que vous venez d'avoir. Il est impératif de faire quelque chose, et deux choix se présentent à vous : copier ou combattre.

Copier la formule de votre adversaire a du sens. Après tout, s'ils ont réussi à monter une chaîne aussi prospère, c'est que leur formule a du bon. Vous pourriez aller visiter Meubli-Mart et noter leurs particularités. Dès demain, vous seriez en mesure de réagir.

D'un autre côté, en choisissant le combat, vous montrez à votre clientèle que vous n'avez pas baissé les bras. C'est peut-être une façon d'aller vous chercher la sympathie du public. Il est bien entendu, dans votre esprit, que si vous choisissez cette option, vous tiendrez une rencontre réunissant tous les vendeurs. Vous avez remarqué cette flamme dans les yeux de Gilles quand il a cherché une solution, et vous aimeriez bien la retrouver dans les yeux de tous vos employés.

«Avez-vous des toilettes?»

La question vous a tiré de votre rêverie. Vous regardez le client et l'enfant qu'il tient par la main. Ce dernier trépigne, et si vous ne lui indiquez pas les toilettes au plus vite, c'est votre tapis qui écopera... « Bien sûr. Vous voyez cette flèche...»

*

*   *

Qu'allez-vous décider?

• **Si vous choisissez de copier Meubli-Mart, passez au chapitre 33.**

• **Si vous choisissez de combattre, rendez-vous au chapitre 34.**

6

Maximiser les opérations actuelles

Vous pouvez difficilement convoquer une rencontre le matin en commençant. Cela impliquerait de payer les livreurs à ne rien faire, parce que Daniel n'aurait pas eu le temps de préparer les bons de livraison, et cela empêcherait Gilles de régler les problèmes courants sur la surface de vente. Ce n'est donc que vers 11 h, le lendemain matin, que vous convoquez votre comité de gestion.

«Voici, en gros, quel a été mon cheminement et comment j'en suis venu à cette décision. J'ai donc décidé que nous allions maximiser les opérations actuelles. C'est vrai que nous n'avons pas vraiment les moyens de nous lancer dans des opérations d'expansion, et je suis d'avis que nous ne pouvons pas attendre avant d'agir. Alors, si je vous demande comment nous pourrions maximiser nos opérations actuelles, que me suggérez-vous?»

Daniel est le premier à réagir. «Visiter l'entrepôt ensemble, c'est primordial.

— Hein? Pourquoi visiter l'entrepôt? C'est ridicule, rétorque Gilles.

— Pas du tout. Si vous pouviez voir les piles de stock dans l'entrepôt que je n'ai pas touchées depuis des mois, vous comprendriez. Le stock qui vieillit ne disparaît pas, croyez-moi. Je sais que c'est plus facile pour les vendeurs de vendre ce qui est à la mode, mais pour le commerce, ce n'est pas nécessairement la meilleure solution.

— Nous vendons ce que les clients exigent.» Gilles a visiblement été piqué au vif.

«Ben voyons donc! Tu sais très bien que c'est vous qui choisissez la facilité. Mais en faisant cela, vous laissez pourrir une partie des stocks.»

Julie est d'accord : «De plus, les clients qui voient encore traîner dans le magasin des produits défraîchis ont souvent envie d'aller voir ailleurs. Une bonne gestion de l'inventaire est primordiale.»

Vous intervenez. «Nous avons donc une première proposition, soit de mieux gérer notre inventaire et de libérer l'entrepôt de ses stocks désuets. Qui a une autre idée? Julie?

— Ma proposition est très simple. Je l'avais en tête hier soir quand j'ai parlé de maximiser les opérations actuelles. Il s'agit de baisser les dépenses. De cette façon, nous serions en mesure, si les temps deviennent plus difficiles, de tenir le coup plus longtemps.

— Voyons donc! Ce n'est pas comme ça que nous allons améliorer notre rentabilité. Ce qu'il faut faire, c'est vendre plus, augmenter nos revenus.

— Je vois où tu veux en venir, Gilles. Et je ne suis pas d'accord. Si tu penses qu'en augmentant les dépenses de publicité, tu vas améliorer notre rentabilité, tu te mets un doigt dans l'œil. Nous avons probablement atteint notre chiffre maximal de vente. Si nous nous entêtons à "acheter" d'autres clients, nous les paierons cher, laisse-moi te le dire!

— Il n'y a pas que la publicité qui puisse entraîner une hausse des revenus, tu apprendras. Nous pouvons sûrement trouver quelque chose, et laisse-moi te dire que le marché n'est pas saturé et que nous pouvons encore hausser nos revenus. Sinon, explique-moi pourquoi Meubli-Mart vient s'installer à Saint-Louix à la fin de l'été.

— En tout cas, ce n'est pas en nous chicanant que nous passerons au travers. Réfléchissez à ma proposition de liquider les inventaires excédentaires. Il y a plein d'avantages. Nous n'aurions plus à financer ces stocks, ni à les entreposer, ni à les chauffer, ni à les assurer. De plus, comme le disait Julie tout à l'heure, les clients arriveraient ici et ne verraient que des produits récents. Ils seraient alors bien mieux disposés à acheter.

— Mais il n'y a pas que l'inventaire dans la vie! Tu ne penses qu'à ça parce que tu couches dans l'entrepôt, mais dis-toi qu'un commerce, c'est plus que ça.»

Vous jugez qu'il est temps d'intervenir. «Écoutez, nous sommes ici pour trouver une solution commune à un problème commun. Vos arguments me semblent articulés, mais dites-moi maintenant, l'un après l'autre, pourquoi votre proposition est supérieure à celle des autres. Tu peux commencer, Daniel.»

Daniel regarde brièvement ses deux compagnons de travail puis vous fait face. «Ma solution est supérieure parce qu'elle nous permettra de toucher de l'argent qui a déjà été fait, mais qui est noyé dans l'inventaire actuel. Ce ne sont pas des hallucinations. Venez avec moi dans l'entrepôt. Je vous montrerai.

— Merci Daniel. Julie...

— S'il advenait que Meubli-Mart soit plus fort que nous, nous aurons intérêt à démontrer une bonne rentabilité lors du renouvellement de notre marge de crédit en mars prochain. Si nous ne maîtrisons pas nos dépenses, ce sera impossible. Je ne dis pas que leurs idées ne sont pas

47

bonnes. Je soutiens simplement que la mienne est la meilleure. C'est tout.

— Très bien. Gilles...

— Écoutez tout le monde. Je ne suis pas contre vos idées. C'est simplement que vous songez à rapetisser l'entreprise en jouant sur les inventaires et les dépenses tandis que moi, je veux qu'elle continue à grossir. C'est ce qui différencie ma proposition.»

*
*   *

Il est indéniable que vous devrez trancher. Que choisissez-vous?

• Si vous optez pour une baisse des dépenses, passez au chapitre 17.

• Si vous optez pour une hausse des revenus, passez au chapitre 18.

• Si vous optez pour une rationalisation des inventaires, passez au chapitre 39.

Les voies de la croissance

C'est la mi-avril. La première pelletée de terre a déjà eu lieu sur le futur site de Meubli-Mart. Il y a maintenant plus d'un mois que vous avez mandaté votre comptable pour qu'il prépare un avis sur les trois avenues de croissances que vous avez retenues de prime abord. Hier, il appelait pour dire qu'il était enfin prêt. Vous avez pris rendez-vous pour ce matin et avez demandé à Julie de vous accompagner.

Trouver un stationnement n'est pas trop difficile; son bureau est situé sur la 2ᵉ Allée, au-dessus de la caisse populaire. La secrétaire vous reçoit et vous demande de patienter. Quelques minutes plus tard, Lafleur vient vous chercher à la réception et vous guide jusqu'à la salle de conférence. Après les salutations d'usage, tous s'assoient et Lafleur tend à chacun de vous un tableau synthèse du document qu'il va vous présenter.

— Je vous le remets tout de suite. Il vous permettra de mieux suivre tout au long de la discussion. Laissez-moi tout d'abord vous rappeler mon mandat. Vous m'avez présenté, le mois dernier, trois possibilités d'expansion que nous devions analyser à la lumière de l'invasion imminente de Meubli-Mart. Nous devions également vous faire une recommandation sur l'une de ces trois propositions. C'est bien cela?»

Vous faites oui de la tête et il continue. «Nous nous sommes basés sur les statistiques disponibles dans votre secteur d'activité, sur les renseignements que nous a communiqués Julie, et sur les taux de location en vigueur dans la région. Quelqu'un prendrait-il un café avant que nous abordions le vif du sujet?»

Julie accepte et vous faites de même. Vous profitez de cette petite pause pour jeter un coup d'œil au tableau synthèse.

Possibilités d'expansion d'Ameublements Saint-Louix

Critères	Proposition n° 1	Proposition n° 2	Proposition n° 3
Nature	Achat d'un compétiteur	Ouvertures de surfaces de ventes dans les municipalités environnantes	Agrandissement des bâtiments existants (20 000 pi²)
Locataire ou propriétaire?	Propriétaire ou locataire	Locataire	Propriétaire
Transfert de clientèle existante	Acquisition d'une clientèle existante	Non	Non
Système informatique	Compatible Ajouts : 4 000 $ plus frais mensuels	Compatible Ajouts : 2 000 $ + frais mensuels par succursale	Compatible Ajouts : 2 000 $
Investissements	800 000 $ (si location)	100 000 $ par succursale	600 000 $
Frais fixes	Élevés	Faibles	Moyens
Avantages	Possibilité de balance de vente Excellent *timing* pour faire des affaires	Implantation graduelle Posibilité de retrait	Concentration d'énergie Possibilité de polarisation
Inconvénients	Dispersion d'énergie Nécessité de créer un esprit d'équipe entre deux concurrents	Dispersion des énergies	Difficile à liquider si nous changeons d'idée

Préparé par Denis Lafleur, comptable. CONFIDENTIEL.

«Bon. Passons aux choses sérieuses. Nous commencerons par la première proposition, soit l'achat d'un compétiteur. Comme vous le voyez sur le tableau, l'achat d'un compétiteur est très intéressant. Dans un premier temps, vous faites l'acquisition d'une clientèle établie et vous pouvez obtenir une balance de vente, ce qui limiterait votre emprunt bancaire. De plus, après la première pelletée de terre de Meubli-Mart, ceux qui sont prêts à vendre auront des demandes très raisonnables. Par contre, en achetant un concurrent, vous aurez à fondre deux équipes de vente, et ce n'est pas toujours facile.»

Julie n'est pas d'accord. «Vous laissez entendre qu'en achetant un compétiteur, on achète également sa clientèle. Mais avec la venue de Meubli-Mart, je me demande si cela n'est pas exagéré. Après tout, les clients ne sont pas attachés au magasin.

— Très bonne intervention. Et c'est justement pour cela qu'il serait possible d'obtenir un excellent prix. Passons à la seconde proposition, soit l'implantation graduelle de succursales dans les municipalités environnantes. Il va sans dire que l'idée est bonne. En louant des surfaces qui ne serviront qu'à la vente, et en livrant à partir de l'entrepôt actuel, on rapproche le commerce des consommateurs sans avoir à investir massivement. Nous verrons tout à l'heure que c'est la proposition que je soutiens personnellement.

— Qu'entends-tu par implantation graduelle?

— C'est que vous n'êtes pas obligés d'implanter toutes les succursales en même temps. Vous commencez par une et, quand elle fonctionne bien, vous en ouvrez une autre. De plus, si l'une de celles-ci ne fonctionne pas à votre goût, vous pouvez toujours la fermer. Vous restez locataires.

— Ah bon. Et la troisième proposition, celle d'agrandir les installations actuelles...

— Son principal avantage, c'est que vous courez la chance de polariser le marché. En ajoutant 20 000 pi^2 à votre surface actuelle, vous vous retrouverez 2 à contrôler le marché, vous et Meubli-Mart. Cependant, nous parlons ici d'un investissement de 600 000 $ qui, financé à 80 %, amènera des paiements mensuels de 6 550 $. Irez-vous

51

chercher des ventes suffisantes pour faire face à ces nouvelles obligations financières? C'est à vous de l'évaluer.»

Julie a une question. «Qu'entendez-vous par frais mensuels à la rubrique système informatique? Est-ce le contrat d'entretien?»

— Non, pas du tout. Nous avons évalué votre ordinateur principal, et il peut recevoir de nouveaux terminaux. Ceux-ci sont branchés directement si vous choisissez l'agrandissement. Mais si vous décidez d'acheter un concurrent ou d'installer des succursales, vous devrez en plus louer des lignes de transmission téléphonique. C'est ce que nous entendons par frais mensuels. Y a-t-il d'autres questions?

— Oui. Pourquoi préconisez-vous la deuxième proposition?

— Parce que c'est la moins chère et qu'en temps d'incertitude il ne faut pas trop investir.

— Et toi, Julie, quelle proposition choisirais-tu?

— Aucune. J'ai déjà fait savoir que cette histoire de leadership régional ne me disait rien. Mais si vous décidez de vous y attaquer, je vous appuierai.»

Lafleur intervient : «Écoutez, je vous laisse les copies du rapport. Lisez-les à tête reposée et revenez-moi plus tard dans la semaine. Si je peux apporter des explications supplémentaires, ce sera avec grand plaisir.»

En quittant le bureau de votre comptable, vous savez que vous ne reviendrez pas le voir. Vous allez prendre une décision et la mettre en œuvre dès cette semaine. Ce qu'il vous a préparé comme rapport aurait pu être rédigé par n'importe qui. À quoi bon perdre un autre mois à l'attendre si vous souhaitez obtenir d'autres renseignements?

*

*   *

Que décidez-vous?

• Si vous revenez sur votre décision et choisissez la proposition de Julie, passez au chapitre 8.

• Si vous choisissez d'acheter un compétiteur, passez au chapitre 13.

• Si vous choisissez l'implantation de succursales, passez au chapitre 14.

• Si vous choisissez l'agrandissement, passez au chapitre 15.

Pourquoi viendraient-ils?

Vous avez finalement décidé de faire d'Ameublements Saint-Louix un centre spécialisé dans la vente de matelas et d'appareils électroménagers. Cette décision n'a pas été facile à prendre, mais elle devrait vous permettre, selon vous, d'assurer la rentabilité de votre entreprise et de conserver au moins la moitié des emplois actuels. Déjà, un inventaire complet des meubles à liquider est en cours, et un entrepreneur prépare une évaluation des coûts pour scinder en deux le local actuel. Vous entendez louer l'autre moitié dès que la liquidation sera terminée.

Le plus difficile pour l'instant, c'est de garder votre équipe motivée. Personne, mis à part les membres de votre comité de gestion (Daniel, Julie et Gilles), ne sait s'il conservera son emploi. Vous vous êtes bien engagé à garantir le maximum d'emplois possible, mais ils ne sont pas fous.

Justement, en parlant du comité de gestion, il est présentement réuni dans votre bureau et tente de trouver, entre autres choses, pourquoi les clients continueront à vous encourager une fois les modifications en place. C'est présentement Gilles qui parle.

«Donc, si je comprends bien, nous devons trouver quels avantages notre spécialisation aura aux yeux des clients. C'est bien cela?

— Oui. C'est bien cela. Pourquoi viendraient-ils chez un spécialiste?»

C'est Daniel qui répond : «Pour deux raisons. Dans un premier temps, nous serons perçus comme des spécialistes, et les gens ont tendance à penser qu'un spécialiste les conseillera mieux. De plus, nous aurons plus de choix que dans le rayon actuel. En tant que spécialiste, nous devons faire de la place à d'autres marques, sinon ça ne fonctionnera pas.

— Très juste. Mais mis à part le fait que nous serons spécialisés et que nous offrirons plus de marques aux consommateurs, qu'est-ce qui nous distinguera des autres?

— Le prix. C'est simple.

— Et pourquoi donc?

— Puisque nous aurons plusieurs marques en stock, les compagnies nous feront de meilleurs prix pour que nous privilégions leurs marques. Notre prix sera plus bas, et, à cause de la réorganisation (la location de la moitié de la surface de vente, la diminution du personnel, un camion de moins à entretenir, etc.), nos frais fixes, c'est-à-dire nos dépenses incompressibles, auront diminué. Nous devrions être en mesure de refiler une partie de l'économie aux consommateurs. Je crois vraiment que c'est à cause des prix que les clients nous encourageront.

— C'est intéressant, mais, par définition, un spécialiste n'est-il pas plus cher?

Pour la première fois depuis le début de la rencontre, Julie intervient : «Oui et non. Certains *category killers*, ces spécialistes grande surface comme Toys-R-Us ou Home Depot, offrent de meilleurs prix. Mais ne nous faisons pas d'illusions : ce n'est pas parce que nous cessons de vendre des meubles que nous devenons les Toys-R-Us de l'électroménager ou du matelas. Il faut plutôt chercher à offrir les avantages du spécialiste traditionnel.

— Et quels sont ces avantages?

— Il y a bien sûr le choix, mais ce n'est pas tout. Nous pourrons trouver plusieurs façons d'enrichir notre offre. Le but ne serait pas de vendre à prix moindre, mais d'en offrir plus au même prix. Vous voyez la différence?

— Donne-nous des exemples, sinon tu ne nous convaincras pas.

— Très bien. Ce dont je parle, c'est de valeur ajoutée. Il faut en donner plus pour le même prix. À quoi vous attendez-vous d'un spécialiste? Par exemple, pourquoi fréquenter la Librairie Beausoleil plutôt que la Tabagie Lupien?»

C'est vous qui répondez : «Parce qu'il y a plus de choix.»

Daniel : «Parce qu'ils sont au courant des nouveautés.»

Gilles : «Parce qu'ils nous connaissent et qu'ils se rappellent de ce que l'on aime lire. Il n'est pas rare que Mireille, en me voyant entrer, vienne à ma rencontre et me dise qu'elle vient tout juste de recevoir un livre qui me plaira. Et elle a généralement raison.

— Nous voici donc avec trois raisons d'acheter chez un spécialiste : le choix, les connaissances et le contact personnalisé. Quand bien même Lupien vendrait ses livres moins cher, continueriez-vous à acheter les vôtres chez Beausoleil?»

Tous répondent oui.

«Nous devons oublier les guerres de prix et nous concentrer sur ce genre d'avantages. Il faut enrichir notre offre de vente, offrir plus que le simple produit. Si nous faisons cela, selon moi, nous gagnerons une bonne part du marché.

— Mais un réfrigérateur n'est pas un livre, Julie. Tu ne feras pas un kilomètre de plus pour un escompte de 2 $, mais s'il s'agit de 30 $ ou 40 $, tu sais bien que les clients vont se déplacer, ajoute Daniel.

— Pas si nous créons la bonne ambiance.

— Je crois que tu rêves.

— Je ne crois pas.»

*

* *

Que décidez-vous?

• **Si vous choisissez d'enrichir votre offre, passez au chapitre 21.**

• **Si vous choisissez de baisser les prix, passez au chapitre 22.**

Commerce à vendre!

C'est presque en secret que vous avez quitté le commerce ce matin pour aller à ce rendez-vous avec Denis Lafleur, votre comptable. Les autres ignorent encore que votre décision est prise et vous ne souhaitez pas qu'ils l'apprennent trop vite.

Lafleur vous reçoit avec un large sourire. Après vous avoir précédé dans la salle de conférence et avoir commandé pour chacun de vous un café bien noir, il s'immobilise dans son fauteuil, prêt à écouter ce que vous avez à dire.

«Ce que je veux savoir, en gros, c'est ce qu'il faut faire pour vendre un commerce le plus rapidement possible.

— Le vendre, pas le donner? C'est bien cela?

— C'est cela.»

Lafleur se lève et, après s'être rendu près du mur du fond de la salle, ouvre deux panneaux de bois qui cachent un grand tableau blanc. Prenant un marqueur de couleur, il inscrit, en grosses lettres en guise de titre, QUOI FAIRE POUR MIEUX VENDRE. Puis il se tourne vers vous. «Il y a au moins cinq choses à faire pour vendre rapidement et à sa satisfaction un commerce de détail. Commençons par la première.»

Il commence à écrire et, à mesure qu'il procède, vous prenez quelques notes. «La première action consiste à baisser l'inventaire. Invariablement, un commerce accumule des stocks morts qui ne valent pas l'argent investi. Si vous tentez de le vendre avec l'entreprise, vous toucherez 20 % à 25 % de leur valeur au maximum. Mieux vaut faire le sacrifice tout de suite.

— Mon inventaire est bien géré. Ce conseil n'est pas pour moi.

— La désuétude n'est pas la seule raison pour réduire les stocks. Il y a aussi les finances de l'acquéreur. Les institutions financières n'accepteront pas de financer à terme de l'inventaire puisque c'est un actif à court terme. En diminuant l'inventaire de votre entreprise, vous diminuez le montant de comptant dont aura besoin votre acheteur. Est-ce une meilleure raison?»

Vous ne pouvez qu'acquiescer, et il continue. «Il faut ensuite, pour la même raison, diminuer au maximum les comptes clients. Chaque dollar dans la caisse peut servir à vous payer et il permet à l'acheteur de faire l'acquisition avec le moins de comptant possible. De plus, en percevant les sommes qui vous sont dues, vous évitez de vous voir imposer par l'acheteur un escompte lors de l'achat. Bien des acheteurs ne vous verseront que 60 % à 70 % de vos comptes à recevoir lors de l'achat. C'est normal. Ils ne savent pas si ces clients sont solvables ou non.»

Vous étiez pour dire que vos recevables sont de bonne qualité, mais vous laissez tomber. Autant le laisser continuer. «Ensuite, il faut ralentir le paiement de vos comptes fournisseurs. L'acheteur les prendra à sa charge et vous l'aidez encore une fois à acheter. Ce que la compagnie doit à ses créanciers, il n'aura pas à l'emprunter à la banque.»

Quoi faire pour mieux vendre

1. Diminuer l'inventaire
2. Recouvrer les comptes à recevoir
3. Retarder les comptes à payer
4. Se débarrasser des éléments d'actif inutiles
5. Évaluer la balance de vente que l'on est prêt à prendre.

Copie du tableau de Denis Lafleur, votre comptable

Vous souriez. «Jusqu'ici, c'est le conseil le plus simple à appliquer.

— C'est vrai. Vous devrez ensuite vous débarrasser des éléments d'actif inutiles. Comme un camion qui ne sert pas ou des terminaux informatiques inutilisés. Sacrifiez immédiatement tout ce qui ne sert pas, qui a une valeur résiduelle et qui ne nuira pas à la gestion quotidienne de l'entreprise. C'est autant d'argent que l'acheteur n'aura pas à trouver.

— Je suppose que l'on arrête également de faire des achats. J'avais justement l'intention de changer un camion.

— N'en faites rien pour l'instant. Notre dernier conseil, enfin, c'est d'évaluer quelle balance de vente vous êtes prêt à accorder à votre acheteur.

— Il n'en est pas question. Je veux être payé comptant. Sinon, je ne vends pas.

— Mieux vaut vous faire tout de suite à l'idée. La majorité des acheteurs potentiels n'auront pas tout l'argent nécessaire et ne pourront pas emprunter en donnant l'inventaire résiduel en garantie. Si vous souhaitez vendre, pensez immédiatement à ce que vous êtes prêt à accepter comme balance de vente. C'est un conseil.

— Je souhaite tout vendre en bloc et faire un X sur cette aventure. Si je garde une hypothèque ou une balance de vente, je reste attaché.

— Dans ce cas, trouvez un acheteur riche. La compagnie Meubli-Mart serait peut-être intéressée. Avez-vous songé à les contacter. Après tout, la construction n'a pas encore débuté.

— Je n'y avais pas encore pensé, mais c'est une idée. Je pensais tout naturellement à Tremblay ou même à Bergeron, mais Meubli-Mart reste une possibilité. Et ils ont l'argent pour payer comptant.

— D'un autre côté, ils doivent être de féroces négociateurs.

— Je vous remercie pour les conseils. Je vais y penser.»

*
* *

Que décidez-vous?

• Si vous choisissez de vendre à Meubli-Mart, passez au chapitre 11.

• Si vous choisissez de vendre à un compétiteur de la région, passez au chapitre 12.

10

La fuite

Il y a trois mois que votre magasin a cessé d'exister et, pour la première fois, vous avez trouvé le courage de visiter une succursale Meubli-Mart pour en avoir le cœur net. L'entrée est vaste et très éclairée. Un conseiller vous offre son aide, mais vous expliquez que vous souhaitez seulement jeter un coup d'œil. Il promet de venir vous retrouver dans quelques minutes. Le baratin habituel, rien de plus.

*
*   *

La liquidation s'est bien passée. Vous avez commencé en faisant parvenir un millier de lettres à des gens pris au hasard dans l'annuaire téléphonique. Vous annonciez votre fermeture prochaine et leur offriez de profiter de l'occasion en premier. Il était bien entendu que ce millier de personnes en parleraient à leurs proches et que la nouvelle ferait boule de neige. Avant même que vous n'annonciez officiellement la liquidation, toute la communauté en avait eu vent.

Vous avez débuté en offrant 20 % d'escompte sur tout l'inventaire. Avec un escompte général, les produits les plus populaires se sont évidemment vendus en premier. Par la suite, vous avez enlevé 5 % de plus chaque semaine et, à la fin, vous avez liquidé les produits désuets à 25 % du prix coûtant.

Au bout du compte, pour chaque dollar d'inventaire liquidé, vous avez touché 0,95 $. Vous avez rapidement recouvré vos comptes à recevoir et réglé vos comptes à payer. Quant aux camions, ils ont facilement trouvé preneurs pour le solde à courir du crédit-bail. Il ne restait qu'à trouver un acheteur ou un locataire pour l'immeuble. Vous l'avez vendu un mois avant la fin de votre liquidation. Un centre de piscines occupe maintenant l'immeuble qui, dans votre cœur, abrite toujours Ameublements Saint-Louix.

*

* *

Est-ce votre imagination? Il vous semble que les prix affichés sont à peu près identiques à ceux d'Ameublements Saint-Louix. Et qu'est-il marqué sur ces étiquettes : *Nous nous ferons un plaisir de vous le livrer pour un coût modique!* Vous n'avez jamais demandé un sou pour la livraison. Mais quelle est la raison de leur succès?

*

* *

Vous êtes toujours à la recherche d'un emploi. Vous avez rencontré plusieurs chasseurs de têtes, et il est probable que, d'ici quelques semaines, vous trouviez un poste quelque part. De toute façon, rien ne vous presse, car vos ressources vous permettent de passer l'hiver bien au chaud. Mais il en va tout autrement de votre ancienne équipe.

Aux dernières nouvelles, Guy, Danielle et Patrick travaillaient chez Meubli-Mart. Quant à Julie, Daniel et les autres, ils seraient toujours au chômage. Vous n'osez pas les appeler pour demander des nouvelles. S'il fallait qu'ils ne trouvent rien... Vous vous rappelez leur visage au dernier jour de travail. C'était intenable.

*
* *

Vous voici au rayon des électroménagers. Meubli-Mart offre à peu près les mêmes produits que vous vendiez, mais leurs prix sont inférieurs d'un bon 10 %. Vous n'auriez probablement pas pu leur faire face sur ce terrain. Un autre conseiller s'approche et offre son aide, mais vous n'avez même pas envie de lui parler. D'un coup d'œil, vous repérez la sortie et partez d'un pas décidé.

Vous sortez dehors, la tête basse. L'air est humide et lourd. Le soleil a fait place aux nuages, et l'orage approche à grands pas. Vous approchez de votre voiture puis stoppez net. Non. Vous avez besoin de marcher. Vous hésitez un instant entre la gauche et la droite, puis vous partez vers la droite.

*
* *

Le problème avec la fuite, c'est qu'elle laisse un arrière-goût amer de remords et de regrets. Des remords parce que vous ne saurez jamais si vous auriez pu faire face à Meubli-Mart et en sortir vainqueur. Vous venez de visiter un magasin qui, somme toute, ne vous a pas impressionné. Pourquoi avoir lâché si rapidement?

Cette décision a eu d'importantes répercussions sur la façon dont vous vous percevez. En entrevue, cette semaine, vous étiez moins sûr de vous, plus hésitant. Mais le pire, ce sont ces remords qui vous assaillent à longueur de journée. Vous adoriez le commerce et vous ne pouvez vous empêcher de ressentir l'impression que vous avez abandonné votre équipe. Vous souhaitez qu'ils se trouvent de nouveaux emplois au plus vite. À ce moment, peut-être, vous vous sentirez beaucoup mieux.

*
* *

Le vent vient tout juste de se lever. Il balaie les arbres et fait lever la poussière en tourbillons qui agressent l'œil.

65

LA GUERRE CONTRE MEUBLI-MART

L'orage devrait suivre, mais, plutôt que de tourner les talons et retourner vers votre voiture, vous continuez à avancer, attendant comme un bienfait la pluie qui dans quelques minutes vous trempera jusqu'aux os.

*
*　　*

Votre histoire se termine ici, dans le doute, les remords et le regret. Mais il y a moyen d'en avoir le cœur net et de savoir si vous auriez été à la hauteur. Remontez immédiatement dans le temps et retournez au chapitre 1 ou 3. Vous ne pouvez pas vous contenter d'une telle finale! Cela vous ressemble tellement peu.

11

La goutte d'eau

C'est Lafleur qui a servi d'intermédiaire à la rencontre. Il a appelé au siège social de Meubli-Mart, prétextant qu'il avait entendu parler de la rumeur selon laquelle on ouvrirait une succursale à Saint-Louix. Il connaissait, leur a-t-il dit, un client qui souhaitait justement vendre.

Le boniment a fait son effet puisque la même journée, une secrétaire appelait Lafleur pour prendre rendez-vous. Le représentant de la compagnie, un certain Léon Sévigny, est attendu pour 11 h. Vous faites les cent pas dans votre bureau, sans savoir que déjà, sur votre surface de vente, votre invité joue les clients.

Quand, finalement, il se décide à vous demander, il y a déjà une vingtaine de minutes qu'il fait perdre son temps à Danielle. Vous vous approchez, le sourire aux lèvres, pendant que Danielle s'éloigne, dépitée.

L'homme est trapu et vêtu avec goût. Vous ne pouvez vous empêcher de remarquer le nombre assez extraordinaire de bijoux qu'il porte. «Elle ne s'est pas aperçue, en vingt minutes, que je lui faisais perdre son temps. Votre personnel manque de formation.»

Vous supposez que la remarque est une blague, et vous ne réagissez pas. Ensemble, vous commencez le tour du propriétaire. «C'est amusant, votre façon de disposer les meubles. Nous ne les plaçons plus en ensemble depuis un bon bout de temps. Maintenant, la norme, c'est de mettre toutes les chambres, les cuisines et les salons ensemble. Votre surface de vente me rappelle le bon vieux temps.

— Vous me paraissez bien jeune pour parler du bon vieux temps.

— Mes parents étaient marchands de meubles. Vous les connaissez peut-être.»

La visite se poursuit un bout de temps, puis vous vous retrouvez dans votre bureau. Vous ne pouvez plus attendre : «Et puis, comment trouvez-vous le magasin?

— Je ne vous cacherai pas qu'il y aurait beaucoup de transformations à faire pour qu'il réponde à nos critères corporatifs. Néanmoins, le siège social m'a signifié son intérêt, et je viens discuter affaires avec vous. Ce que j'ai vu n'est pas irréparable, et les dés ne sont pas jetés. J'ai cependant quelques remarques à faire.»

Est-ce parce que vous êtes fatigué ou bien ce type est carrément déplaisant? Si ce sont des gags, ils commencent à vous arracher les nerfs. Vous continuez cependant à sourire. «Allez-y. Je suis prêt à vous répondre.

— Bon. À supposer que nous en venions à une entente et que nous déposions une offre d'achat, à combien pensez-vous réduire votre inventaire d'ici trois mois?»

Vous ne vous attendiez pas à cette question. «Pourquoi le réduire. Vous n'aimez pas mon inventaire?

— Ce n'est pas cela. Mais comme nous payons beaucoup moins cher que vous pour les mêmes produits, nous n'accepterons pas de vous verser davantage que notre coût à nous. Ce serait donc plus facile de tout liquider d'ici la transaction.»

Même si votre sang bout, vous ne le faites pas voir. Après tout, il vient tout juste de parler d'une offre d'achat. «C'est une question à laquelle je devrai réfléchir avant de vous répondre. Je ne m'attendais pas à cela.

— Ce n'est pas grave. J'ai d'autres questions. Vos employés sont-ils syndiqués?

— Non. Pourquoi?

— Les nôtres ne le sont pas non plus, et nous ne voudrions pas importer le virus. De cette façon, s'ils ne répondent pas nos critères, ils seront plus faciles à éliminer.»

Cette conversation vous plaît de moins en moins. Il pointe du doigt le terminal placé sur votre bureau. «Je peux voir votre système informatique. Sur quel système d'exploitation roule-t-il?

— Unix V.

— Je ne crois pas que ce soit compatible avec notre système. Nous ne l'achèterons probablement pas. Comment accédez-vous aux comptes clients?»

Cette fois, c'en est trop. Cette dernière remarque, c'est la goutte d'eau qui fait déborder le vase. On dirait que cet individu n'est venu vous rencontrer uniquement pour vous soutirer des renseignements dont on se servira pour vous écraser. De plus, vous avez de moins en moins envie de laisser votre équipe sous la coupe de ce genre d'individus. Vous vous levez et lui tendez la main. «Je crois que ce sera tout pour aujourd'hui. Je vous remercie de la visite, mais à vrai dire, je ne sais plus vraiment si je suis vendeur.

— Mais nous n'avons pas terminé. Je n'ai pas encore vu vos états financiers.

— Figurez-vous, monsieur Sévigny, que ce commerce que vous dénigrez depuis votre arrivée, j'en suis très fier.

Et votre attitude fait en sorte que je n'ai plus du tout envie de vendre. Au plaisir de vous revoir.»

L'homme est insulté. «Je tiens à vous rappeler que c'est vous qui avez appelé.

— Et c'est maintenant moi qui vous mets à la porte!»

*

* *

Jamais vous ne laisserez l'avenir de votre commerce ou de votre équipe entre les mains d'un type comme Sévigny. Si vous souhaitiez vous retirer, vous sentez maintenant le goût du combat envahir vos veines. Non seulement êtes-vous prêt à faire face à Meubli-Mart, mais vous ne serez satisfait que le jour où vous aurez mis la troupe de Sévigny à sa place! Retournez vite au chapitre 1, 3 ou 9. Meubli-Mart n'aura pas votre peau!

12

Le second round

Vous aviez déjà quitté Saint-Louix quand les événements sont survenus. Plus rien ne vous liait à la communauté. C'est donc normal qu'une partie des faits vous ait échappé. Essayons néanmoins de reconstruire l'histoire.

Tremblay a acheté votre commerce en juillet. Vous aviez à ce moment suivi les conseils de votre comptable, et les stocks étaient au minimum. En conséquence, vous vous en êtes tiré avec une balance de vente de 40 000 $. Un montant bien raisonnable dans les circonstances.

Puisque Tremblay ne souhaitait pas unifier les magasins et préférait continuer à les gérer en parallèle, vous garantissiez de conserver tous les emplois, ce qui vous a facilité les choses quand vous avez annoncé la nouvelle à votre équipe.

Par la suite, vous avez quitté Saint-Louix. Il semble que tout allait bien jusqu'à ce que Meubli-Mart ouvre ses portes. À ce moment, les pressions sur les marges bénéficiaires et la baisse du chiffre d'affaires des deux magasins ont causé la chute de l'empire de Tremblay.

S'il n'avait pas acheté votre commerce, il serait probablement passé à travers la crise. Mais son endettement, trop élevé au début de l'affrontement, lui enlevait toute marge de manœuvre, et la moindre attaque lui coûtait trop cher.

Et c'est ainsi que vous avez reçu, il y a quelques jours, un avis officiel du syndic expliquant que vous étiez en voie de perdre votre balance de vente. C'est là où nous en sommes, en ce matin de mars, quand vous revenez à Saint-Louix pour la première fois depuis plus de sept mois et que vous pénétrez dans les riches bureaux du syndic. Un dénommé Parenteau vous y attend. Après les salutations d'usage, vous vous retrouvez dans l'ambiance feutrée de son bureau et vous lâchez votre première question : «Et alors, de quoi ça a l'air?

— Ce n'est pas fort. Il pensait passer au travers et il a laissé les dettes s'accumuler.

— Ma question est simple. Ma créance est de 40 000 $. Une fois la liquidation terminée, combien va-t-il me rester?»

Parenteau se racle la gorge, mais son regard ne quitte pas le vôtre. «De 5 000 $ à 6 000 $.

— Pas plus que ça! Comment est-ce possible?

— Votre créance porte sur ce qui restera à liquider après la vente des bâtiments et des biens nantis. Vous ne serez pas servi en premier et, croyez-moi, même les autres créanciers ne seront pas épargnés. S'ils récupèrent le quart de leurs créances, ce sera très bien.

— Vous voulez dire que quelqu'un va racheter ces deux commerces à une petite fraction de leur valeur?

— Les acheteurs seront rares. Surtout avec Meubli-Mart dans les parages. Il n'y a pas grand-chose à faire.»

Une idée vous traverse à ce moment l'esprit, mais sa soudaineté ne vous surprend guère. Elle devait vous trotter dans la tête depuis quelques jours. «D'après vous, par rapport au bilan déposé, si je souhaitais acheter un des magasins, combien m'en coûterait-il?»

Il ne semble pas surpris. «Je dirais entre 30 % et 35 % de la valeur déclarée. Pas plus.

— Et croyez-vous que la banque accepterait de financer l'immeuble?

— S'il s'agit de quelqu'un qui a fait ses preuves dans le domaine, comme vous, ils seront contents de ne pas tout perdre et ils accepteront. Vous pouvez compter là-dessus.»

Vous vous levez et lui tendez la main. «Je reviendrai en fin de journée. Merci.

— Je vais attendre vos nouvelles avant de procéder. Bonne journée.»

C'est presque au pas de course que vous quittez le petit immeuble. Tant de choses à faire et si peu de temps. Tout d'abord, réserver une table au Canard argenté. Ensuite, rejoindre par téléphone les membres de votre comité de gestion et leur offrir un bon repas. Finalement, aller chercher l'engagement de tout ce monde dans la reconstruction des Ameublements Saint-Louix. Et cette fois, vous vous promettez la victoire.

C'est que vous avez été très actif au cours des derniers mois. Vous avez visité plusieurs succursales de Meubli-Mart et des détaillants situés dans les parages. Vous avez rencontré des fournisseurs et discuté avec des clients. La faillite de Tremblay, aussi triste soit-elle, ne pouvait arriver à un meilleur moment.

Au bout de quatre sonneries, vous décidez de raccrocher, mais à ce moment vous entendez un déclic. Vous rappelez immédiatement et, cette fois, la réponse est immédiate : «Allô!

— Bonjour Julie! Je cherche une commis comptable pour relancer un commerce de meubles dans la région. Es-tu disponible?»

Elle vous a immédiatement reconnu et elle ne tente pas de cacher la joie qui l'anime. «Bien sûr que je suis disponible. Et quand bien même je ne le serais pas, je trouverais le moyen...

— Parfait. Rendez-vous à 15 h au Canard argenté.

— As-tu joint les autres?

— Je le fais à l'instant.» En raccrochant, vous vous dites que vous n'avez jamais été aussi heureux de perdre 40 000 $! Et cette fois, pas de quartier!

*
* *

Ce nouveau défi sera sûrement couronné de succès, mais pourquoi ne remonteriez-vous pas dans le temps pour reprendre votre aventure au chapitre 1, 3 ou 9?

13

L'étau

Le temps est venu de parler d'apprentissage en boucle simple ou double. Il y a des fois où on est tellement obnubilé par un but que sa quête nous aveugle et nous fait oublier de questionner le bien-fondé de notre objectif de départ. C'est l'apprentissage en boucle simple.

Il arrive également que l'on pense, tout au long d'une démarche, à toujours remettre en question le bien-fondé de notre démarche à mesure que nous progressons et que les événements se bousculent autour de nous. C'est l'apprentissage en boucle double.

Pourquoi parler de tout cela en plein mois de février?

*

* *

Depuis quelques semaines déjà, vous oubliez de demander vos messages quand vous arrivez au magasin. Mais Julie prend bien soin de vous les rappeler. «Leclerc, de chez North Shore, a rappelé. Vous ne lui avez pas retourné son appel d'hier matin. Il dit que notre compte est maintenant "barré".»

Vous prenez le petit papier rose qu'elle vous tend et, sans un mot, vous vous engouffrez dans votre bureau. Dès que Leclerc décroche le téléphone, vous entreprenez un numéro de charme que vous avez bien trop répété ces derniers jours. «Bonjour! Comment allez-vous?

— Ça irait beaucoup mieux si vos chèques "passaient". Nous avons déjà allongé les délais trois fois. J'ai dû "barrer" votre compte ce matin.

— Écoutez, si vous acceptiez de "débloquer" ma commande, je serais en mesure de la payer à la livraison. Ce sont des articles vendus, voyez-vous.

— Ce ne sera malheureusement pas possible. Nos politiques en ce sens sont formelles, et je ne peux y déroger. Pourquoi ne pas payer votre compte précédent avec cet argent? Serait-ce que nous crions moins fort que les autres?

— Oh non! Pas du tout. Vous êtes parmi les plus tenaces. Je vous le garantis.

— Je vous donne jusqu'à la fin de la semaine. C'est compris?

— Je vous rappelle demain.»

*

* *

Lafleur avait raison : Tremblay avait été suffisamment ébranlé par la première pelletée de terre pour songer sérieusement à vendre. Mais sur l'ensemble des autres points de son exposé, votre comptable s'était royalement trompé.

À commencer par la possibilité d'une balance de vente. Tremblay avait bien trop peur de Meubli-Mart pour vous vendre de cette façon. Il voulait son argent tout de suite. C'est alors qu'il vous a proposé de faire une liquidation et de réduire considérablement son inventaire si, après la vente, vous vous engagiez à payer comptant tout ce qui restait.

Vous auriez pu, à ce moment, remettre cet achat en question, mais le concept de leadership vous obnubilait à un point tel que vous ne réfléchissiez plus qu'en simple boucle. Vous êtes allé voir votre gérant de banque et, après de nombreuses tractations, il a dit oui. Vous pouviez donc signer l'offre d'achat.

La liquidation de Tremblay a connu un immense succès. Il ne se gênait pas pour dire que son commerce était vendu, mais il ne nommait jamais l'acquéreur. Et, quand vous êtes officiellement devenu propriétaire, il ne restait sur la surface de vente que les produits invendables que personne n'avait voulu acheter à très bas prix. Le meilleur geste, à ce moment, aurait été de fermer ce magasin après avoir rapatrié les comptes dans votre commerce.

Mais vous avez tenu bon. Vous avez exigé que l'on remette la surface de vente en ordre, augmentant ainsi vos comptes à payer de façon considérable. Et quand Meubli-Mart a ouvert ses portes, le château de cartes s'est effondré.

Vos ventes ont chuté de 30 % dès les premiers mois. Pour payer des comptes d'une ampleur historique et des paiements mensuels résultant de l'achat de ce compétiteur, vous avez peu à peu rogné votre encaisse et utilisé complètement votre marge de crédit. Les choses auguraient mal, et vous auriez pu à ce moment décider de fermer votre commerce. Mais vous n'en étiez pas là.

En janvier, pour justifier une prétendu rationalisation, vous avez vendu quelques camions et fait plusieurs mises à pied. Malheureusement, c'était trop peu, trop tard. Déjà des chèques étaient retournés sans provision et vous jongliez avec les comptes, négligeant pour la première fois de répondre aux appels pressants de vos créanciers. Hier, Rachel Weare, votre principal bailleur de fonds, refusait de réinjecter le moindre sou dans l'aventure. Cerné de toute part, privé de toute aide financière, attaqué quotidiennement par un concurrent qui est d'autant plus fort que vous êtes affaibli, vous ne voyez vraiment pas ce que vous pourriez faire pour vous en sortir.

Après avoir quitté votre bureau, vous repassez au bureau de Julie. «Rappelle-moi de téléphoner à Leclerc d'ici deux ou trois jours. J'espère que d'ici là j'aurai trouvé l'idée du siècle. Oh! Et en passant, tu avais raison pour l'achat d'un compétiteur. Ce n'était pas une bonne idée.

*

* *

Votre histoire se termine ici, dans les difficultés financières. Vous serez très chanceux si vous évitez la faillite. Ces difficultés, vous en êtes le principal artisan. Mais ne vous en faites pas. Vous pouvez toujours remonter dans le temps et retourner au chapitre 1, 4 ou 7, puis reprendre votre aventure. Rien n'est absolument terminé.

14

Une approche politique

Il y a déjà deux mois que Meubli-Mart a ouvert ses portes et vous avez convoqué vos employés clés à une rencontre pour examiner les résultats d'octobre. Ils sont tous là : Daniel, Julie, Gilles et les gérants de chacune des deux succursales. Vous abordez présentement le cœur des préoccupations de chacun : «Julie va maintenant nous faire part de nos résultats consolidés pour le mois d'octobre. Julie.»

Julie passe à sa droite une pile de documents qui diminue au fur et à mesure que chacun retient une copie et passe ce qui reste à son voisin. Quand tout le monde a sa copie, elle commence : «En tout premier lieu, j'ai le grand plaisir de vous apprendre que, comparé à l'an dernier, notre chiffre d'affaires d'octobre n'a pas reculé d'un sou, malgré l'imposante campagne de publicité de Meubli-Mart...»

Les applaudissements fusent, et les cris de joie sont également de la partie. Elle attend quelques minutes avant de continuer : «Franchement, c'est à se demander comment nos autres concurrents font pour rester ouverts. Nos dépenses d'octobre, cependant, sont en hausse par rapport à l'an dernier. Notre rentabilité a chuté de moitié. Cela s'explique, bien sûr, par les frais d'exploitation de nos deux succursales.»

Les regards de tous se posent sur les deux nouveaux gérants pour leur reprocher l'augmentation des dépenses, mais vous intervenez prestement : «Inutile de dire que, sans ces deux surfaces de vente, notre chiffre d'affaires serait en chute, lui aussi. Nous devons nous féliciter d'avoir choisi cette voie de développement au début de l'été. Il faut avouer que l'intégration se fait à merveille et que nous n'avons pas de problèmes logistiques. Qu'en penses-tu, Daniel?

— Je n'ai pas à me plaindre. Dès qu'une vente est conclue, que ce soit à la succursale 1 ou 2, j'ai immédiatement accès à l'information sur mon propre terminal à l'entrepôt. Tout se déroule très bien, et les horaires de livraison sont presque toujours respectées.»

La rencontre se poursuit, mais vos pensées sont ailleurs. Vous repensez aux éléments qui ont fait de cette aventure un succès.

*
* *

La première succursale a ouvert ses portes au début de juillet et la seconde, au milieu du mois d'août. Dans les deux cas, vous avez suivi les cinq principes que vous vous étiez donné au départ.

1. La localisation

Vous avez conçu votre système pour pouvoir vous implanter dans des municipalités d'au moins 5 000 personnes où votre magasin ferait cavalier seul et où le sentiment d'appartenance jouerait en votre faveur. Vous louez à bon prix des locaux que la précédente récession a laissé vacants. Votre succursale n° 1 fait 10 000 pi², tandis que la seconde s'étend sur environ de 8 000 pi².

2. La sélection du personnel

Pour chaque succursale, vous n'avez que deux employés : un gérant à temps plein et un vendeur à temps partiel.

Mis à part un salaire de base, ces gens sont à commission. Ils ne travaillaient pas de votre magasin, car vous recherchiez des personnes jouissant d'une bonne notoriété dans la municipalité hôte. Chacun est issu du milieu dans lequel il travaille et connaît tout le monde. À vrai dire, bien des gens seraient gênés si on savait qu'ils n'achètent pas là. Cette approche politique a jusqu'ici assuré le succès du projet.

De plus, chacun a suivi un stage d'un mois à votre magasin principal pour se familiariser avec les techniques de vente, les caractéristiques des produits et le système informatique. Ils sont maintenant compétents et ont l'appui des gens de leur municipalité.

3. L'inventaire

Ces succursales ne gardent que les articles les plus populaires et, dès qu'un produit perd l'appui des consommateurs, il est ramené au magasin principal. De cette façon, les succursales assurent une rotation maximale des stocks, et les liquidations n'ont lieu qu'au magasin principal.

4. Décoration minimale mais de bon goût

Vous n'avez pas investi une fortune en décoration, mais vous n'avez pas lésiné sur la qualité du décor. Si les clients ne répondaient pas à vos attentes, la radiation des améliorations locatives ne nuirait pas trop à votre état des résultats de l'année en cours. Vous avez agi en administrateur prudent.

5. Un système d'information adéquat

Les terminaux informatiques ont permis à chaque succursale de savoir exactement ce qui se trouve à l'entrepôt principal et ce qui est en commande. On n'a pas perdu de temps au téléphone pour se demander s'il restait encore un certain produit en stock ou quand telle ou telle livraison aurait lieu.

Au magasin principal, on pouvait suivre le cours des ventes quotidiennes. De plus, le système d'information vous a permis de planifier de manière optimale les livraisons, de sorte que vous n'avez pas eu à acheter de camion supplémentaire ou à embaucher de nouveaux livreurs.

Quelqu'un vous demande pourquoi vous souriez, alors que votre esprit naviguait ailleurs. «Je me demandais simplement où nous installerions notre troisième succursale. C'est tout!»

*

* *

Bravo! Sans être optimales, vos décisions vous ont quand même amené à pouvoir faire face à Meubli-Mart. Votre survie est pratiquement assurée. Cependant, vous auriez pu faire mieux. Pourquoi ne pas remonter dans le temps et retourner au chapitre 1, 4 ou 7. Reprenez l'aventure : le meilleur reste à venir...

15

Oui, mais...

Votre succursale bancaire, malgré les rénovations toutes récentes, n'a pas tous les apparats d'une succursale d'un grand centre urbain. On n'y retrouve pas de guichet automatique, et les bureaux ne sont pas insonorisés. De fait, on peut facilement entendre du comptoir ce qui se dit dans le bureau de Léon Beauregard, votre directeur de crédit. C'est d'ailleurs pour cette raison que vous prenez toujours soin de ne pas élever la voix quand vous discutez avec lui. Mais ce matin, rester calme semble au-dessus de vos forces.

*
* *

Beauregard termine en silence un bref survol du document préparé par Lafleur pendant que votre regard parcourt nerveusement les décorations qui occupent les deux murs disponibles de son bureau. Et ce n'est pas sans soulagement que vous le voyez déposer le rapport devant lui. «Et puis? Un beau projet, n'est-ce pas?

— Un gros projet, en tout cas.»

Vous vous attendiez à des commentaires un peu plus détaillés. Vous devrez décidément lui tirer les vers du nez. «Qu'en pensez-vous? Quand pourrais-je avoir un accord?»

Beauregard reprend le document, relit rapidement la table des matières, puis le dépose à nouveau. «Si j'ai bien compris, il s'agit d'un projet de 600 000 $. C'est bien cela?

— Absolument.

— Et quelle serait votre part de l'investissement?

— J'aurais aimé en financer le plus possible. L'entreprise pourrait avancer environ 10 % de la somme. Votre institution nous prêterait donc 540 000 $.

— Je ne crois pas que ce soit possible.

— Pourquoi?

— Pour un montant de cette envergure, je dois faire parvenir le dossier à la direction régionale qui l'évalue au mérite. Or, ce que je vois ici ce matin ne me dit rien qui vaille.

— Vous n'avez pas confiance dans mon entreprise?

— Ce n'est pas cela. Mais ce que je vois là, c'est un estimé des coûts. Qu'allez-vous faire avec ces 20 000 pi² supplémentaires? Mettre d'autres meubles ou ajouter de nouvelles gammes de produits? Si vous faites des ajouts, vous aurez besoin de capitaux supplémentaires. Si vous ne faites que répartir autrement les meubles que vous avez déjà, en quoi cela augmentera-t-il vos ventes et vous permettra-t-il de faire face à vos nouvelles obligations?

— Ce sont là des questions auxquelles je peux vous répondre immédiatement.

— Mais vous n'y serez pas lorsque la direction régionale évaluera votre demande. C'est pourquoi il me faudrait, en plus de cette évaluation des coûts, un plan d'affaires bien rédigé qui fasse état, en plus du projet, de vos forces et de vos faiblesses ainsi que des variables contextuelles présentes.

— Des variables contextuelles présentes?

— Oui. Nous savons tous deux que Meubli-Mart aura bientôt pignon sur rue à Saint-Louix. Comment, avec une hypothèque supplémentaire, parviendrez-vous à leur faire face? En d'autres mots, j'ai besoin d'un plan de match!»

Vous jetez un coup d'œil pour voir s'il y a beaucoup de gens dans la succursale. La file est assez longue; vous ne devez pas vous emporter. «Écoutez. Je fais affaire ici depuis que j'ai le magasin, mais je ne suis pas attaché ici. Si vous ne voulez même pas évaluer mon projet, je peux très bien aller ailleurs. Et partir avec les comptes que je possède déjà ici.

— Même si je voulais vous accorder le prêt, j'en serais incapable parce que vous ne m'avez pas donné les instruments nécessaires pour que j'évalue votre dossier. J'ai besoin de bien plus que le montant du projet. Il faut que je sache en quoi cet agrandissement va vous permettre d'augmenter vos ventes, quels investissements supplémentaires seront nécessaires et être persuadé que les obligations financières supplémentaires ne seront pas un boulet pour votre entreprise. Comprenez bien que j'ai à cœur de bien vous servir, mais vous devez m'aider un peu.

— Très bien. Je vous laisse le document et je vous rappelle demain. Nous en reparlerons.

— Ce sera avec plaisir.»

Vous vous retrouvez dehors, sous un soleil éclatant, et vous décidez de ne pas retourner immédiatement au commerce. Ce que Beauregard a raconté vous hante, et vous prenez le chemin du petit parc situé à quelques pas de là pour mieux y réfléchir. Un banc est justement libre mais vous préférez marcher, ressentant comme une caresse les changements de chaleur sur votre peau lorsque vous passez sous un arbre, puis revenez en plein soleil.

Votre directeur de crédit n'a pas tort. Obnubilé par cette idée de leadership régional, vous en avez oublié l'essentiel : en quoi l'agrandissement va-t-il améliorer les chances de survie de votre entreprise? Vous avez succombé à la loi de l'outil : le moyen est devenu plus important que la fin, et vous en avez oublié la raison d'être de votre commerce. Vous pourriez toujours vous remettre au travail, mais, après cette rencontre, la rédaction d'un plan d'affaires impliquant un agrandissement ne vous dit rien qui vaille. Vous n'avez pas posé le doigt sur le vrai bobo.

*

*   *

Votre histoire se termine ici. Dans l'incertitude. Rien ne dit que votre position concurrentielle s'est améliorée depuis que Chantal vous a appris la grande nouvelle. Vous en êtes toujours à la case départ. Remontez donc dans le temps et retournez vite au chapitre 1, 4, ou 7. Une personne de votre valeur mérite une meilleure finale.

16

Dans l'antre du démon

Vous auriez pu envoyer n'importe qui visiter la succursale et vous contenter d'un compte rendu verbal. Mais vous ne vouliez pas vous contenter de ouï-dire et vous avez décidé d'aller visiter vous-même une succursale Meubli-Mart située à Montréal. D'autant plus que vous avez besoin d'un téléviseur neuf, ce qui vous donnera l'occasion d'obtenir beaucoup plus d'information que par une simple visite.

Mais, curieusement, il y a déjà dix minutes que vous êtes stationné et vous ne bougez pas. Votre cœur bat la chamade. Des pensées incongrues vous affligent : s'il fallait que vous rencontriez l'un de vos clients... Croiraient-ils que vous faites vos propres achats ici? Et si ça se savait ou si un voyageur de commerce vous démasquait? De quoi auriez-vous l'air? Cinq minutes plus tard, vous décidez d'agir et vous quittez votre voiture pour vous engouffrer dans l'antre du démon.

« Bienvenue chez Meubli-Mart. Souhaiteriez-vous connaître nos rabais de la semaine?» Le préposé à l'accueil, très souriant, vous tend la circulaire hebdomadaire. Il n'y a rien d'agressant dans son comportement. Vous vous rendez compte que c'est bien mieux que le «puis-je vous aider?» avec lequel vous recevez vos clients chez vous.

« Non merci. J'ai une bonne idée de ce que je souhaite acheter, mais j'aimerais faire un peu le tour du magasin avant d'acheter.

— Très bien. S'il y a quoi que ce soit, n'hésitez pas à faire appel à nos conseillers. Ils sont là pour vous. Bon magasinage.»

Vous commencez votre visite de la surface de vente. De temps en temps, vous rencontrez un vendeur qui vous salue, mais sans plus. Vous visitez à loisir et remarquez que, finalement, mis à part ceux qui paraissent dans la circulaire, leurs prix ne sont pas meilleurs que les vôtres. À quelques reprises, vous avez été surpris par certains articles trop dispendieux.

De plus, l'inventaire est moins imposant que ce à quoi vous vous attendiez. Il y a moins de meubles au pied carré mais ceux-ci sont mieux disposés. La décoration est plus élaborée que celle de votre magasin, et les éclairages sont conçus en fonction de chaque décor. L'effet s'avère très bon, et ce concept ne serait pas très difficile à implanter chez vous.

Du côté des électroménagers, la partie n'est pas gagnée : leurs prix sont semblables aux vôtres, et vous vendez à peu près les mêmes marques et les mêmes modèles.

Vous voici rendu au rayon des produits électroniques. Vous faites un léger signe de tête en direction du conseiller et celui-ci arrive immédiatement. «Bonjour. Que puis-je faire pour vous aujourd'hui?»

(«Que peut-il faire pour vous aujourd'hui?» Il vous accueille comme si vous étiez un client régulier.) Vous demandez à voir les téléviseurs et, quelques minutes plus tard, vous avez la certitude d'être entre les mains d'un spécialiste. Au bout de dix minutes, votre choix est fait. Le conseiller vous propose alors 12 mois sans payer en vous expliquant que, même si vous avez l'argent pour payer, vous avez avantage à le laisser à la banque et à empocher les intérêts pendant un an encore. Vous insistez pour payer immédiatement et exigez la livraison pour la semaine qui vient.

C'est à ce moment que vous apprenez que, contrairement à chez vous, il y a des frais pour la livraison. Vous possédez donc un avantage à cet égard. Vous payez les frais pour recevoir votre livraison et évaluer la compétence de leurs livreurs.

En partant, quelques minutes plus tard, vous notez sur un calepin les principaux points à retenir de cette visite mémorable, et vous vous questionnez sur ce que vous pourriez maintenant faire pour vous préparer au combat. Quatre idées s'imposent rapidement.

À retenir

1. Leurs vendeurs sont bien formés.
2. Ils ont moins de meubles, mais mieux disposés.
3. Les prix ne sont pas meilleurs.
4. Le plan de financement semble très apprécié.
5. Ils exigent des frais pour la livraison.
6. La guerre sera difficile dans le domaine des électroménagers.

Rapport de votre mission d'espionnage

1. Vous pourriez rénover votre surface de vente. Après tout, rien n'y a changé depuis la première moitié des années 1980, et ce que vous venez de voir donne à penser que ce n'est pas la quantité de meubles en démonstration, mais bien la qualité de leur présentation qui fait toute la différence.

2. Vous pourriez, à partir de vos observations, modifier la gamme des produits que vous gardez en stock pour mieux rivaliser avec Meubli-Mart en septembre.

3. Vous pourriez instaurer un programme de financement sans intérêt. Vous n'y aviez jamais pensé et, d'après vos

constatations, il s'agit de l'une des plus grandes forces de ce concurrent.

4. Vous pourriez également revenir sur une décision anté-rieure et entreprendre de maximiser les opérations actuelles de votre entreprise. Après tout, ils n'ont pas l'air si forts que ça, et vous avez toujours eu du succès avec votre façon de gérer.

*

* *

Vous ne pouvez malheureusement pas (dans le cadre de ce livre) choisir les quatre solutions à la fois. Alors, que décidez-vous?

• Si vous choisissez de maximiser les opérations actuelles, passez au chapitre 6.

• Si vous choisissez de rénover votre surface de vente, passez au chapitre 40.

• Si vous choisissez de modifier votre gamme de produits, passez au chapitre 48.

• Si vous choisissez les programmes de finance-ment, passez au chapitre 55.

17

Le boulier de la décroissance

Votre objectif de départ était très simple : diminuer vos dépenses de 10 %. Cela devrait accroître vos profits annuels avant impôts de 64 000 $ à 144 000 $. Ces bénéfices supplémentaires vous auraient permis de soutenir une guerre des prix contre Meubli-Mart ou de faire une offensive publicitaire d'envergure quand le moment aurait été propice. Dix pour cent, après tout, ce n'est pas beaucoup.

Mais le défi s'est avéré plus important que prévu. Vous avez commencé par prendre vos derniers états financiers (une copie de l'état des résultats figure dans votre dossier confidentiel) et un stylo rouge, puis vous avez entrepris de réviser chaque poste de dépense, l'un après l'autre. C'est alors que vous avez été confronté aux dépenses incompressibles.

Vous ne pouviez pas rogner sur le poste *réparation et entretien* ou le poste *carburant*. Il en allait de même avec l'électricité, les assurances, les taxes municipales et les frais de location (sous ce poste se trouve l'ensemble des crédits-bails du système informatique et des camions). Vous pouviez diminuer les dépenses liées au téléphone en obligeant les vendeurs à demander une autorisation avant d'effectuer un interurbain. Ce qui fut fait. Mais vous étiez encore bien loin du compte.

Restaient la masse salariale et la publicité. C'est là que votre couperet est tombé. Vous avez dans un premier temps réduit à quatre le nombre de livreurs. Une équipe en moins serait compensée par une meilleure distribution des livraisons. Par exemple, au lieu de livrer tous les jours à Saint-Cyrille, vous limitez ces livraisons aux jeudis et mardis.

Vous avez également réduit d'environ 40 000 $ votre budget publicitaire et imposé de nouvelles balises aux frais divers d'exploitation. En tout et pour tout, vos économies projetées devaient s'élever à 72 000 $, et vos profits nets, à 136 000 $. C'était trop beau pour être vrai.

*
* *

Le temps est venu de vous présenter le boulier de la décroissance. C'est un modèle qui nous aidera à comprendre ce qui s'est passé.

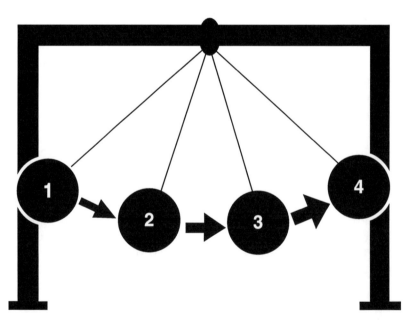

1 : souci d'amélioration   2 : baisse des dépenses

3 : baisse des services perçus   4 : baisse des ventes

Dans un premier temps, vous avez développé le souci d'améliorer la performance de votre entreprise.

Par la suite, vous avez choisi de diminuer les dépenses. Ce qui fut fait comme nous venons de le voir.

Mais le fait de livrer moins souvent et de réduire les budgets discrétionnaires des vendeurs a fait en sorte que les clients avaient l'impression de moins recevoir qu'auparavant, ce qui a provoqué une baisse de leur fidélité. De plus, la baisse des dépenses publicitaires a diminué l'arrivée de nouveaux clients.

Tout ceci a entraîné une diminution de vos ventes mensuelles et altéré le moral du personnel. C'est ironique quand on pense que cela avait débuté avec le souci d'améliorer les performances de votre organisation. On ne peut faire mouche à tout coup.

*

*　*

Cela augurait bien mal à l'ouverture de Meubli-Mart. Votre prestige avait commencé à diminuer, votre étoile pâlissait déjà, et voici qu'un nouveau concurrent s'installait. Un concurrent qui livrait tous les jours, partout à la ronde, et qui envoyait une circulaire couleur à toutes les semaines. C'est à ce moment que deux de vos bons vendeurs sont partis, attirés par les ventes qu'ils pourraient faire ailleurs.

Vous avez certes réagi. Vous avez engagé à toute vapeur une nouvelle équipe de livreurs et vous avez pris quelques pages de publicité dans l'hebdomadaire régional. Mais c'était trop peu, trop tard. Les livreurs n'avaient pas d'expérience et vous ont coûté des sommes énormes en bris et les publicités, pondues sans aucune stratégie, n'ont eu pour effet que de faire baisser votre solde bancaire.

Diminuer les dépenses, dans un commerce de détail, reste très possible. Mais, pour ce faire, vous devez souvent repenser votre façon de travailler, en étudiant la question avec l'œil du consommateur. Il faut travailler mieux avec moins de ressources et non se contenter d'en faire moins. Sinon, vous ne faites que jouer les gestionnaires aveugles, affaiblissant votre position concurrentielle.

*

* *

Votre histoire se termine ici. Vous avez perdu de vue que la raison d'être d'un commerce de détail, c'est de CRÉER des clients. Si vous cessez de les satisfaire, vous mettez la clé dans la porte. Tous les arguments comptables n'y pourront rien. Cela ne veut pas dire de dépenser sans regarder; vous ne devez simplement pas couper là où le consommateur se sentira lésé. Mais tout n'est pas perdu. Remontez vite dans le temps et retournez au chapitre 1, 4 ou 6. Il y a moyen de faire mieux... bien mieux.

18

Vendre plus?

Il y déjà trois jours que vous aviez décidé d'augmenter votre chiffre d'affaires quand vous avez finalement appelé Chantal. Jusqu'ici, votre approche du chiffre de vente était plutôt réactive : c'est à la fin du mois que vous saviez combien vous aviez vendu; c'est à la fin de l'année que vous saviez si les ventes avaient augmenté par rapport à l'année précédente. Comment faire, quand on a ce genre de relations avec le chiffre d'affaires, pour favoriser sa croissance?

Vous n'avez pas à attendre tout le message imprimé par l'ordinateur. Vous connaissez par cœur le numéro de la boîte vocale de Chantal et vous composez le 325, prêt à laisser un message, mais, contre toute attente, c'est elle qui répond : «Chantal Lassonde, bonjour.

— Bonjour Chantal. Tu avais dit que je pouvais t'appeler si j'avais besoin d'aide. C'est ce que je fais maintenant. Est-ce que je te dérange?

— Pas du tout. Que puis-je faire pour toi?

— La question va probablement te paraître ridicule. Mais comment fait-on pour augmenter un chiffre d'affaires?

— Vous en êtes là? Mais poser la question, c'est y répondre.

— Ah oui?

— Peux-tu me donner ta définition du chiffre d'affaires? C'est très important.»

Vous hésitez. Où veut-elle en venir? «C'est l'ensemble des ventes que mon commerce réalise dans une année. Je ne vois rien d'autre.

— Serais-tu d'accord si je disais que c'est également l'ensemble des achats que les clients font chez vous pendant une année donnée?

— Oui. Ce que tu dis, c'est la réciproque de ce que j'ai répondu. Pour vendre, ça prend des clients, et, pour que les clients achètent, ça prend des marchands.

— C'est cela. De fait, ton chiffre d'affaires, c'est le nombre de clients que tu sers dans une année multiplié par le montant moyen des achats de chaque client. C'est tout. Et c'est ta réponse.»

Cela ne vous paraît pas si évident. «Alors, puisque c'est ma réponse, aide-moi à y voir clair. Comment dois-je faire pour vendre plus?

— Tu as deux choix. Ou tu augmentes le nombre de tes clients, ou tu augmentes le montant moyen des achats annuels de chaque client. Pour augmenter ton chiffre d'affaires, tu dois choisir l'une ou l'autre de ces stratégies ou les deux si tu veux. Mais il vaut toujours mieux commencer par l'une ou l'autre. C'est à toi de décider.

— Selon toi, dans ma situation, quelle stratégie serait la meilleure?

— Laisse-moi te répondre en termes plus généraux. Pour augmenter ton nombre de clients, tu peux faire plus de publicité, ouvrir une succursale, ajouter une gamme de produits qui attirera un nouveau segment de clients. Tu continues à gérer ton commerce de la même façon, mais, comme tu reçois plus de clients, tes chances de voir augmenter ton chiffre d'affaires sont très bonnes. C'est, dans mon langage, une stratégie externe.

— Et je suppose que l'autre stratégie est interne?

— Parfaitement. Cette stratégie ne vise pas l'augmentation du nombre de clients de ton entreprise, mais une augmentation de leurs achats annuels. Cela implique que les consommateurs te visitent plus souvent dans l'année ou qu'ils achètent davantage à chacune de leurs visites. Mais attention, cette stratégie est plus difficile à mettre en place.

— Ah oui? Pourquoi?

— Parce qu'elle peut impliquer un changement complet de la façon dont tu gères ton entreprise. Pour réaliser cette stratégie, vois-tu, tu dois fidéliser ta clientèle, revoir la façon dont tu travailles, enrichir ton offre ou augmenter tes prix de vente si le marché le permet.

— Il y a bien longtemps que le marché ne permet plus les augmentations de prix.

— En es-tu réellement sûr? Mais, de toute façon, nous nous éloignons de notre sujet principal. Tu voulais savoir comment on augmente un chiffre d'affaires. C'est aussi simple que cela : tu augmentes le nombre de tes clients ou tu fais grimper le montant moyen de leurs achats annuels. Le choix de la stratégie t'appartient.»

Cela semble à la fois si clair et si compliqué. Vous souhaitiez connaître la recette, et elle vous en a proposé deux. «Écoute. Je te remercie des conseils et j'espère ne pas t'avoir dérangé...

— Ce fut un plaisir et si tu as encore besoin de mes conseils, n'hésite pas. Si tu le souhaites, je pourrais m'intégrer un petit bout de temps à ton comité de gestion.

— Je retiens ta proposition et je t'en remercie. À la prochaine.»

*

*   *

Vous relisez les notes que vous avez prises pendant votre discussion avec Chantal. Peut-être qu'en proposant une ou l'autre de ces possibilités en comité, vous arriverez à susciter les idées qui vous font tellement défaut ces jours-ci. C'est vraiment curieux ce qui vous arrive : un commerce a pour fonction de conclure des ventes, et l'idée d'augmenter ces ventes vous semble presque irréelle. Vous aviez vraiment besoin d'en parler.

*

*   *

Qu'allez-vous décider?

• Si vous choisissez d'augmenter le nombre total de vos clients, passez au chapitre 19.

• Si vous choisissez d'augmenter le montant moyen des achats de chaque client, passez au chapitre 20.

19

Tout de suite ou plus tard?

Vous avez donc choisi la première stratégie, soit de faire grimper le nombre de vos clients. Dès la fin de votre entretien avec Chantal, vous quittez votre bureau et partez à la recherche de votre personnel clé pour leur annoncer la nouvelle. Gilles et Julie sont au bureau de cette dernière, occupés à s'obstiner. À votre arrivée, Gilles explique à Julie qu'elle ne comprend rien et celle-ci lui retourne l'accusation.

«Que se passe-t-il ici?

— C'est lui. Il ne veut rien savoir.»

Gilles secoue la tête. «Elle suggère d'attendre trois ans avant de réagir. Comment voulez-vous que je sois d'accord?

— Si je comprends bien, vous discutiez des façons d'augmenter notre chiffre d'affaires. Avant de continuer, laissez-moi vous dire que notre objectif, c'est d'augmenter le nombre de clients que nous servons dans une année. Maintenant que vous le savez, racontez-moi votre différend.»

C'est Gilles qui parle le premier. «Elle ne veut rien faire. C'est comme si la menace n'existait pas.

— Ce n'est pas ça! J'ai une proposition concrète et je ferai remarquer que c'est toi, en début de semaine, qui suggérais de ne rien faire et d'attendre. Essaie donc de comprendre, pour une fois. Ça fera changement.»

Vous intervenez. «Bon. Procédons avec méthode. Quelle est ta proposition, Julie?

— Je suggérais simplement de commencer notre démarche en faisant un diagnostic.

— Un diagnostic de quoi?

— De notre commerce! Si nous souhaitons attirer plus de clients sur la surface de vente, il faudrait savoir quelles sont nos forces et nos faiblesses par rapport à nos concurrents. Nous pourrons par la suite compenser nos faiblesses et utiliser nos forces au maximum. Ce n'est pas sorcier. Et, malgré ce que certains en diront, ce n'est pas une perte de temps.»

Gilles prend la parole. «Écoutez, ce n'est pas sérieux. Un important concurrent ouvrira ses portes dans moins de six mois, et nous devons perdre notre temps à faire des études! Ce ne sera plus le temps, en septembre, d'augmenter notre bassin de clients. Ça va tirer dans tous les sens, et les consommateurs ne sauront pas où donner de la tête. Si nous souhaitons augmenter le nombre de nos clients, agissons maintenant!

— Agissons comment?

— Je ne sais pas, moi. Nous pourrions faire de la publicité ou mettre un peu plus de pression sur les vendeurs. Je vais vous dire quelque chose : donnez-moi carte blanche et, d'ici une semaine, je vous arrive avec un projet bien ficelé. C'est d'accord?

— Il ne sert à rien de faire de la publicité avant d'avoir établi un diagnostic. Ça pourrait même nous nuire.

— Ah oui! Comment?

— Suppose que nous fassions de la publicité et que nous attirions 50 clients de plus par jour. Sommes-nous en mesure de leur répondre? Serons-nous en mesure de leur offrir un bon service? Est-ce que nous offrons ce qu'ils souhaitent acheter? Un bon diagnostic nous permettra de répondre à toutes ces questions.

— Mais nous perdrons un temps précieux. Et du temps, nous n'en avons plus.

— Du calme, les enfants! Il y a de l'électricité dans l'air! Voici ce que nous allons faire. Je m'engage, d'ici la fin de la journée, à faire un choix entre vos deux propositions. Celui dont la proposition aura été choisie disposera ensuite de quelques jours, disons jusqu'à lundi prochain, pour monter un projet et le soumettre à l'ensemble du comité de gestion. Si son projet est accepté, tout le monde devra ensuite travailler ensemble pour atteindre nos objectifs. C'est d'accord?»

Tous deux hochent la tête, et le groupe se sépare en silence. L'attente pèse lourd sur votre personnel. Le temps est venu d'agir, sinon le découragement gagnera tout le monde d'ici quelques jours.

*
* *

Le pire, c'est que Julie et Gilles ont raison tous les deux. Il faut agir le plus rapidement possible, mais un diagnostic permettrait de mettre les efforts à la bonne place. Vous prenez une feuille de papier et entreprenez de préparer un tableau des deux solutions qui vous ont été présentées.

Force est de constater que vous ne disposez pas de toute l'information nécessaire pour prendre une décision éclairée. Vous devrez donc vous fier à votre légendaire sens des affaires pour décider ce qui doit être fait.

*

* *

Que décidez-vous?

• **Si vous choisissez de procéder à un diagnostic interne, passez au chapitre 23.**

• **Si vous décidez d'agir immédiatement, passez au chapitre 24.**

20

Interrogations temporelles

Vous avez donc choisi la seconde stratégie, soit de faire grimper les achats annuels moyens de chaque client. Dès la fin de votre entretien téléphonique avec Chantal, vous convoquez votre comité de gestion à une rencontre impromptue dans votre bureau. Quelques minutes plus tard, la rencontre commence.

«J'ai trouvé la façon de nous y prendre pour augmenter nos revenus. Nous pourrions certes tirer dans toutes les directions, mais je propose que nous nous efforcions d'augmenter le montant annuel moyen d'achat que fait chaque client dans notre commerce.

— Comment va-t-on faire?

— C'est pour répondre à cette question que nous sommes justement réunis. Qui a une idée? Nous cherchons l'idée qui nous donnera une coudée d'avance sur toute la concurrence.»

Gilles a une idée. «Pourquoi ne pas faire comme chez Disques et Rubans Saint-Louix?

— Et que font-ils?

— Voici. À votre premier achat, on vous remet une carte et, à chaque fois que vous effectuez un achat, on poinçonne un carreau. Et quand vous en êtes rendu à huit ou neuf coups de poinçon dans la même année, vous avez droit à un disque ou à une cassette gratuite. Cela vous oblige à acheter tous vos disques à la même place et à en acheter au moins huit par année. Ça fidélise la clientèle.

— Voyons donc! Nous ne pouvons pas faire ça! T'imagines-tu raconter à un client qu'à son dixième achat il aura une surprise gratuite? Il va te dire qu'il veut son escompte tout de suite. Les gens ne sont pas fous. Ils ne font pas affaire 10 fois par année chez un marchand de meubles. Nous ne vendons pas de la nourriture.

— Je ne dis pas qu'il faudrait copier leur formule. Je suggère de s'en inspirer. On voit bien pourquoi tu es expéditeur et non vendeur. Tu ne comprends pas la moitié de ce qu'on dit.

— Voyons, voyons! Un peu de calme! ajoutez-vous. Nous ne sommes pas ici pour nous quereller. Que suggères-tu pour adapter leur formule?

— Nous pourrions, par exemple, faire parvenir à chacun des clients qui a acheté ici depuis un an une carte de membre leur donnant droit à un escompte supplémentaire de 5 % s'ils achètent à nouveau d'ici la fin de l'année.»

L'idée vous paraît très bonne. «Oui! Et cette carte de membre pourrait être renouvelable une fois par année. De cette façon, les clients ne paieraient le plein prix qu'à leur premier achat de l'année. Que dites-vous de l'idée?»

Daniel et Julie se regardent, puis c'est Julie qui répond. «Et si les clients ne souhaitent pas vraiment payer moins cher?

— Quoi? Mais voyons...

— Imaginons un instant qu'ils préfèrent une livraison gratuite en deçà de deux heures, un paiement trois mois plus tard, bénéficier d'un service complet de décoration gratuit avec leur achat ou n'importe quoi d'autre, croyez-vous que votre carte de membre leur ferait tellement plaisir?

— Les clients ont un faible pour les escomptes. Si tu avais déjà été vendeuse, tu le saurais. Je te retourne ta question : que diraient-ils si on leur offrait un service de décoration alors qu'ils préfèrent un escompte?

— C'est justement pourquoi je ne fais pas une telle proposition. Je propose plutôt un sondage complet qui nous indiquera ce que les clients souhaitent. Ensuite, nous pourrons répondre à leurs attentes. C'est, selon moi, la meilleure façon de les fidéliser.

— Et elle remet ça! On dirait que l'arrivée de Meubli-Mart n'est pas importante. On va encore prendre notre temps et se poser des questions au lieu d'agir. Je suis contre cette proposition, pour la simple et bonne raison que c'est maintenant qu'il faut agir. De plus, je ne crois pas que les clients perdront leur temps à répondre à un sondage.»

Vous voulez en savoir plus, et c'est pourquoi vous vous tournez vers Julie. «Comment choisirais-tu tes répondants?

— Je ne sais pas. Ça pourrait être un sondage aléatoire envoyé à toute la population ou strictement à nos clients. Cela dépend de ce que nous voulons connaître et de la taille de l'échantillon. Je suis présentement un cours de marketing à la Télé-Université et on y mentionne que rien ne doit être entrepris avant de bien connaître notre clientèle.

— Ouais! Ça doit être pour ça que les profs d'université ne se lancent jamais en affaires! Soyons sérieux. Allons-nous perdre notre temps? Un temps précieux. Demandez aux vendeurs ce qu'ils pensent de ma proposition. Ils vont être ravis. Le client d'aujourd'hui en veut pour son argent, et la meilleure façon de le contenter, c'est de baisser les prix. C'est simple comme bonjour.»

À vrai dire, les deux propositions vous tentent. Mais vous savez que vous ne pouvez pas tout donner aux clients. Encore une fois, vous devrez trancher.

*

* *

Que décidez-vous?

• **Si vous choisissez de faire un sondage, passez au chapitre 32.**

• **Si vous choisissez la carte de membre, passez au chapitre 38.**

21

Un magasin *all dressed*!

La maison est repoussante. Même si la dame dit qu'elle a commencé le nettoyage la veille, les murs sont maculés de farine, de ketchup et de produits maquillants. Des graffitis défigurent les armoires, et la porte du réfrigérateur, sur laquelle une lame a été utilisée pour tracer des symboles illisibles, ne ferme plus correctement.

C'est sur le réfrigérateur que Gilles concentre maintenant son attention. Les propriétaires des lieux sont debout derrière lui. «Ok. C'est un RK-135. Ce modèle n'existe plus depuis une douzaine d'années. Je vais inscrire un modèle équivalent. Il vaut aux environs de 895 $. Si votre ajusteur vous cause des ennuis, dites-lui de m'appeler. Je vais le ramener à l'ordre. Je vais vous laisser ma carte.»

Sur ce, il prend place à la table de la cuisine pour terminer son rapport d'inspection. «Je n'ai jamais rien vu de tel. Combien étaient-ils pour réaliser un tel saccage? Et dire qu'ils n'ont rien volé.

— Ouais. Selon la police, ça devait être "pour le fun".

— Ils pourraient s'amuser autrement.» Il termine son rapport, le signe, puis se tourne vers les clients. «Vous me payez comptant ou par chèque?

— Combien ça coûte?

— Quatre-vingt-cinq dollars. Mais rappelez-vous bien ce que je vous ai dit. Si l'ajusteur vous cause des ennuis, vous me l'envoyez, et si vous achetez vos nouveaux appareils au magasin, ce montant vous sera crédité. Dans ce cas, cela devient une expertise gratuite.

— Je vais vous payer par chèque. Merci beaucoup.»

*

* *

Deux ans et demi après l'arrivée de Meubli-Mart, vous êtes toujours en affaires. Et celles-ci vont mieux que jamais : si vous tenez compte des revenus de location, vos profits ont augmenté de 50 %! Votre équipe, quant à elle, se limite maintenant à 10 personnes, mais vous prévoyez embaucher dès le printemps prochain.

Ce succès, vous le devez à votre stratégie de spécialisation. Plutôt que de vous battre sur les prix avec Meubli-Mart, vous avez préféré enrichir votre offre de vente et vous tourner vers la satisfaction de la clientèle. Dans les faits, vous offrez huit services en plus des électroménagers et des matelas.

Ce passage de la vente de produits génériques à une vente de valeur ajoutée ne s'est pas fait sans difficulté. Il a fallu changer les mentalités et les attitudes.

Au début, tous pensaient qu'il était impossible d'en donner autant à un client sans y laisser sa chemise. Mais plusieurs des services supplémentaires constituent aujourd'hui des centres de profit.

Il en va de même du service d'expertise auprès des ajusteurs d'assurances, qui vous amène plusieurs dizaines de clients par année. Les compagnies vous compensent pour les séminaires que vous offrez et qui permettent aux consommateurs de mieux utiliser leurs produits. Finalement, la vente d'accessoires et d'articles complémentaires vous garantit d'excellentes marges bénéficiaires.

Quand on fait face à un ennemi implacable et que les chances de survie sont infimes, éviter la confrontation directe constitue la meilleure arme. Vous l'avez utilisée avec succès. D'autres comme Tremblay ne l'ont pas fait, et, s'il faut se fier aux rumeurs, ce dernier ne voit plus la vie en rose.

Ce que nous vous offrons!

1. Des produits de la plus haute qualité
2. Un service d'évaluation auprès de votre assureur
3. L'installation gratuite, incluant le raccordement de vos appareils
4. L'ajustement des portes et des pieds
5. Des séminaires pour vous apprendre à tirer le meilleur parti de vos achats
6. Une gamme complète d'accessoires pour vous aider à mieux entretenir ce que vous achetez
7. Des produits complémentaires difficiles à trouver (thermostat de lit d'eau, etc.)
8. Une garantie supplémentaire de 24 mois sur tout ce que vous achetez
9. La possibilité d'essai gratuit pendant 30 jours

Contenu de l'affiche qui se trouve sur votre vitrine et à plusieurs endroits sur votre surface de vente.

La conclusion à tirer de ce succès, vous l'avez trouvée dans un excellent ouvrage que vous avez découvert récemment.

Et vous, que vendez-vous? Un produit ou la solution à un problème? Dans le premier cas, vous devrez souvent vous battre sur les prix et réduire vos marges bénéficiaires pour atteindre vos objectifs de vente. Dans le second cas, le client s'intéressera à ce que vous lui offrez et, si vous n'exagérez pas, le prix deviendra secondaire. Un pantalon présenté sur un cintre n'est qu'un paquet de guenille tant qu'il n'est pas ajusté au client. Dès lors, il devient un signe de bon goût. Dans le premier cas, le prix est un facteur important. Dans le second cas, le service prend toute la place. Préférez-vous vendre de la guenille ou du bon goût? Voilà la question.

Vous êtes assez fier de vos décisions, mais vous vous demandez encore quels résultats vous auriez obtenus en appliquant cette recette à l'ensemble de vos activités, avant de liquider le rayon des meubles. Il vous arrive, certains soirs, d'avoir le goût de mettre votre locataire dehors et de redonner à votre commerce son importance d'antan.

*

* *

Votre histoire se termine ici. Vous avez réagi face à une menace, puis assuré la survie de votre organisation. Bravo! Mais, si vous ne remontez pas dans le temps au chapitre 1, 3 ou 8, vous ne saurez jamais comment vous vous en seriez sorti en face-à-face direct avec Meubli-Mart.

22

La fin d'un rêve

Dès que Patrick a vu son client arriver, un journal à la main, il a su qu'il devait disparaître. Faisant signe à Danielle de le remplacer, il court se réfugier dans l'atelier. Mais le client l'avait déjà reconnu, et la fuite devenait inutile. «Eh! Patrick! »

Feindre la surdité ne donnerait rien. Il fallait faire face à l'adversité. Patrick se retourne et se force pour sourire. «Monsieur Bérubé! Comment ça va? Aimez-vous votre nouveau lave-vaisselle?

— C'est justement de ça que je veux te parler. Regarde...»

Bérubé montre à Patrick une publicité de Meubli-Mart dans laquelle on annonce le même lave-vaisselle à un prix largement inférieur. Ce n'était pas la première fois que l'incident survenait cette semaine, et Patrick savait quoi dire : «Oh! Il leur reste encore des vieux modèles.

— Quoi! Des vieux modèles?

— Oui. Ils annoncent le SCV-8675. Ce que je vous ai vendu, c'est le SDV. La deuxième lettre indique l'année de fabrication. Ça doit être pour cette raison qu'ils les liquident à ce prix. Je ne vois pas d'autres explications.»

Le client tire de sa poche sa facture et la déplie. «Pourtant, sur ma facture, c'est bel et bien écrit SCV. Essaierais-tu de me jouer un tour?

— Non, pas du tout. Montrez-moi cela. Vous avez raison. Il y a eu erreur. Regardez ce que je vais faire. Êtes-vous chez vous cet après-midi?

— Oui. Pourquoi?

— Il est probable que l'on vous ait livré le mauvais appareil. Celui que je voulais vous vendre est beaucoup plus complet. Nous pourrions passer cet après-midi et faire l'échange.»

Bérubé sourit. La partie est gagnée, mais à quel prix? «Je vais être chez moi à partir de 14 h. N'oubliez pas qu'il faut passer par derrière.

— Pas de problème, monsieur Bérubé. Je fais le nécessaire, et merci d'être passé. L'erreur est humaine, mais, si les clients ne nous en parlent pas, on ne peut pas les réparer.»

*

*   *

Moins d'une année plus tard, votre entreprise est déficitaire. Si ce n'était de l'argent encaissé à la liquidation du rayon des meubles, il y a un bout de temps que vous auriez dû mettre la clé dans la porte. En y repensant, vous vous rendez compte que, dès le début, votre raisonnement était boiteux. De fait, vous vous êtes trompé à trois niveaux. Passons-les en revue et tâchons d'y voir plus clair.

Les mensonges que vous vous êtes racontés

1. Celui qui ne vend qu'une seule gamme de produits est un spécialiste.
2. Celui qui vend toutes les marques offre de meilleurs prix.
3. Être plus petit coûte moins cher.

1. Ce n'est pas parce que vous vendez une seule catégorie de produits que vous êtes nécessairement un spécialiste. Le spécialiste n'est pas, dans l'esprit des consommateurs, celui qui se spécialise, mais plutôt celui qui en sait un peu plus et qui en donne un peu plus. Conformément à votre décision de demeurer concurrentiel en ce qui concerne les prix, vous avez dû couper les dépenses jugées superflues, et la formation s'est retrouvée sur le pavé. Dans les faits, vos vendeurs ne sont pas plus spécialisés que ceux d'Ameublements Tremblay.

2. Vous pensiez qu'en offrant davantage de marques, vous alliez créer une saine compétition parmi vos fournisseurs, ce qui diminuerait vos prix coûtants. Mais en achetant chez plusieurs grossistes, vos achats moyens par fournisseur ont diminué, et vous avez ainsi perdu les escomptes de volume et une partie des ristournes de fin d'année que vous aviez l'habitude de recevoir, lesquels sont basés sur le montant des achats de l'année précédente. Dans les faits, vous payez aujourd'hui plus cher qu'avant la spécialisation.

3. Si votre commerce devient plus petit, les dépenses ne diminueront pas nécessairement dans la même proportion. Vous continuez de payer des frais fixes et incompressibles, et cette situation peut même faire augmenter vos dépenses sur chaque 100 $ de marchandise vendue. C'est ce qui s'est passé dans votre cas.

*

*   *

Dès le départ de Bérubé, Patrick quitte la surface de vente et se rend à la salle des employés. L'incident l'a rendu de mauvaise humeur. Ramassant ses affaires, il repart vers le magasin et s'arrête devant Danielle. «Tu diras aux autres que je suis parti réfléchir. Ce n'est pas vivable ici. Comment veux-tu qu'on fasse un bon travail si nous ne disposons pas des outils nécessaires? Je commence vraiment à en avoir marre!

113

— Je vais faire le message.»

Quelques minutes plus tard, la nouvelle a fait le tour de l'équipe. Tout le monde est au courant, sauf vous. L'incident a des répercussions immédiates sur le travail de chacun, et le moral descend encore d'un cran.

Un client entre et ressent immédiatement une espèce de malaise. Il y a quelque chose dans l'air qui le rend inconfortable. Peut-être aurait-il dû aller ailleurs?

*

*   *

Votre histoire se termine ici. Il faut dès maintenant cesser de fabuler et se rendre à l'évidence : vos décisions ne vous ont pas mené bien loin. Remontez donc dans le temps et retournez au chapitre 1, 3 ou 8. Vous ne devez pas en rester là.

23

Le client mystère

Avril est finalement arrivé. C'est le mois où les fiancés achètent leur ameublement et où ceux qui déménageront en juillet commencent à magasiner. Les vendeurs sont tous occupés, et l'idée même d'augmenter le nombre de clients semble ridicule ces jours où on ne suffit pas à la demande. Mais votre comité de gestion est quand même réuni, on a hâte de connaître les résultats de l'IDÉE.

L'IDÉE, c'est Julie qui l'a présentée, et elle a immédiatement rallié tout le monde. Vous aviez décidé d'établir un diagnostic de votre entreprise, mais, à vrai dire, personne ne savait vraiment ce que cela impliquait. Julie a alors proposé le diagnostic comparatif.

Elle proposait de mandater quelqu'un que personne ne connaissait pour aller acheter le même article (un fauteuil) chez les trois principaux marchands de meubles de la région. Cette personne devait par la suite avoir recours au service après-vente de chaque magasin en prétextant que le fauteuil fait du bruit. Mis à part le comité de gestion, aucun des membres du personnel ne devait savoir qu'un test comparatif était en cours, et la personne désignée ne devait pas savoir quel commerce la mandatait. C'est pourquoi elle a été choisie par une amie de Julie.

Quelques semaines plus tard, vous attendez avec impatience les résultats de ce test. Même si vous classez par habitude votre commerce au premier rang, vous ressentez une certaine crainte. Et si vous n'étiez pas si bon que ça? Julie, la seule à connaître les résultats, prend un malin plaisir, depuis quelques jours, à glisser des sous-entendus sans vouloir en dire plus. Si cela vous agace un peu, il est visible que ça exaspère Gilles au plus haut point. Il est vraiment temps de connaître ce que le client mystère a dit de votre commerce.

Julie distribue des copies d'un tableau comparatif que chacun s'empresse de consulter. Les onomatopées ne manquent pas. Certains cris s'élèvent. Tous ne sont manifestement pas contents des résultats.

Julie prend la parole. «Vous voici donc en possession d'un précieux document qui devrait nous aider à augmenter le nombre de nos clients dans les prochains mois. Pour plusieurs des critères présentés, Ameublements Tremblay et Meubles Bergeron se classent au premier, deuxième ou troisième rang. Comme vous pouvez le voir, nous nous classons bien dans la majorité des critères.»

Rapport de notre acheteur mystère (1= excellent, 2 = bon, 3 = moyen)

Critères	Ameublements Saint-Louix	Ameublements Tremblay	Les Meubles Bergeron
Disposition de la surface de vente	2	1	3
Accueil des clients	1	2	3
Rapport qualité/prix	2	3	1
Temps d'attente	1	2	3
Qualité des produits vendus	-	-	-
Fiabilité des promesses	3	2	1
Livraison à temps	3	2	1
Choix en stock	1	2	3
Modalité de paiement	2	1	1
Compétence du personnel	2	2	2
Heures d'ouverture	-	-	-
Humeur du personnel	2	1	3
Service après-vente	2	3	1
Suivi après-vente	-	-	-
Impression générale	3	2	3

« Les tirets indiquent les critères qui n'ont pas été évalués. Comme vous pouvez le voir, nous nous classons très bien en ce qui concerne l'accueil des clients, le temps d'attente et le choix en stock. Cependant, il semble que nous ayons un sérieux problème du côté des promesses et de la livraison.»

Daniel n'est pas du tout ravi par ces données. «Nos livreurs sont polis et très efficaces. Ce tableau me renverse. Je ne me serais jamais attendu à ces résultats. Que s'est-il passé?»

Gilles, quant à lui, est des plus satisfaits. «Avez-vous vu le classement pour ce qui est de l'accueil et de la compétence du personnel? Nous sommes les maîtres!

— Je ne dirais pas ça à ta place. J'ai rencontré notre acheteur mystère hier et je peux vous révéler toute l'histoire.»

Les oreilles se tendent, et les regards se fixent sur votre commis comptable. «La personne a été très satisfaite de son vendeur. Soit dit en passant, il s'agissait de Guy. Ce dernier lui a paru sympathique, à l'écoute de ses besoins et très compétent. Tout se serait bien déroulé s'il ne lui avait pas promis sa livraison à 8 h 30 le lendemain matin. Cette promesse, parce qu'elle n'a pas été tenue, est venue gâcher toute l'expérience d'achat de cette cliente.

— La promesse concernant l'heure de livraison était-elle inscrite sur la facture? demande Daniel, très intéressé par le sujet.

— Non, pas du tout. Si notre service de livraison se classe si mal au niveau général, et si notre cliente n'a pas apprécié notre service après-vente, c'est parce que son fauteuil est arrivé en plein milieu d'après-midi. Et comme c'était un de ses derniers contacts avec notre commerce, son impression générale a été défavorable.»

Daniel ne cache pas sa bonne humeur. «Je savais que ce n'était pas ma faute.»

Gilles veut intervenir, mais Julie lui coupe la parole. «Nous ne sommes pas ici pour justifier tel ou tel comportement. Notre objectif est d'augmenter notre nombre de clients. C'est un bel objectif et je suis d'accord. D'un autre côté, il ne sert à rien de se lancer dans la publicité si nous laissons nos clients sur leur faim. Si nous ne sommes pas capables de les satisfaire, autant ne pas augmenter leur nombre.

— Mais que suggères-tu?

— Je suggère que nous nous penchions sur nos problèmes internes, que nous trouvions des mécanismes qui nous permettront de tenir nos promesses ou de ne pas en faire, quitte à perdre une vente. Quand nous serons sûrs que nos services des ventes et de la livraison fonctionnent main dans la main, nous lancerons une campagne qui dira en gros que, chez Ameublements Saint-Louix, nous respectons nos promesses. Nous devrions, de cette façon, pouvoir augmenter notre nombre de clients sans nous nuire à moyen terme.

— Mais si nous avons ces problèmes, nos clients actuels ne doivent pas être heureux, et ils nous quitteront peut-être à l'ouverture de Meubli-Mart. Nous aurions peut-être dû mettre nos efforts sur eux avant de partir à la conquête de nouveaux consommateurs.»

Cette dernière remarque vous porte à réfléchir. Le projet de Julie a du sens, mais, d'un autre côté, peut-être vaudrait-il mieux mettre vos efforts sur vos clients actuels et remettre à plus tard l'augmentation du nombre de clients servis dans une année.

*
*   *

Qu'allez-vous décider?

• Si vous choisissez de revenir sur votre dernière décision et d'augmenter le montant moyen des achats de chaque client, passez au chapitre 20.

• Si vous acceptez la proposition de Julie (augmenter la clientèle), passez au chapitre 53.

24

Ça prend de l'action!

Lundi est finalement arrivé et, comme prévu, Gilles est prêt à présenter son projet. Il est grand temps : avril commence à la fin de la semaine prochaine et, malgré la directive de garder le silence, tous les employés sont maintenant au courant de la nouvelle. Le simple fait de vous rencontrer comme ça, en plein après-midi, au vu et au su de tous a du bon : ils ont l'impression que vous avez le dossier en main et que vous agissez.

Gilles est nerveux. Il fait les cent pas, posant et reprenant sans cesse une affiche dont le contenu a grossièrement été caché par des feuilles de cartable collées les unes aux autres. C'est finalement Daniel qui lui demande de commencer.

«Je vais vous avouer que ma fin de semaine n'a pas été de tout repos. J'avais une idée bien arrêtée quand nous nous sommes rencontrés la semaine dernière et aujourd'hui, je suis perplexe. Laissez-moi commencer en vous racontant mon test de conclusion.

— Ton test de conclusion? Qu'est-ce que c'est?

— J'ai noté, jeudi, vendredi, samedi et dimanche, le nombre de clients qui entraient dans le commerce. J'ai également noté le vendeur qui leur répondait et si ce dernier concluait ou non une vente. Je m'attendais à des résultats assez homogènes et à un taux de conclusion d'environ 70 %. Je sais que quatre jours d'évaluation, c'est peu, mais j'ai été très déçu.

— Par l'homogénéité ou par le taux de conclusion?

— Par les deux. J'ai donc compilé mes résultats et j'ai préparé un tableau. C'est ce tableau qui va me servir pour alimenter notre discussion quant aux gestes à faire pour augmenter notre clientèle avant l'arrivée de Meubli-Mart.

— Mais vas-y! Montre-nous-le!»

Test de conclusion préparé par votre gérant des ventes

Vendeurs	Nombre de clients servis	Nombre de ventes réalisées	Taux de conclusion
Guy	35	28	80 %
Danielle	30	18	60 %
Lorrain	27	17	63 %
Patrick	26	16	62 %
Simone	26	16	62 %
Benoit	24	14	58 %
Jean-Claude	20	4	20 %
Total	**188**	**113**	**58 %**

Daniel réagit le premier : «Nous ne vendons pas plus que ça? Est-ce dire que nous manquons près de la moitié des ventes?

— Pas nécessairement. Il y a des clients qui viennent magasiner, mais qui n'ont pas l'intention d'acheter. Malgré tout, notre taux de conclusion m'apparaît très faible. Mais ce n'est pas ce qui me préoccupe le plus.

— Ah non?

— Non. Ce qui m'agace, c'est la disparité évidente entre les performances de chaque vendeur. Prenons Jean-Claude et son taux de conclusion de 20 %. Que devons-nous faire avec lui? Le former ou lui faire comprendre que ce n'est pas son métier et qu'il ferait mieux de se réorienter vers l'agriculture biologique ou la danse sociale?

— Remarque que c'est souvent lui qui replace la surface de vente et qui s'assure de faire enlever les articles vendus. Il ne fait pas que vendre.

— Mais s'il fait autre chose, est-ce pour justifier son salaire de base ou parce qu'il a peur des clients? Ce sont là des questions qu'il faut se poser, car si Danielle avait répondu à ses 20 clients, avec son taux de conclusion de 60 %, elle aurait probablement réalisé 8 ventes de plus.

— Tout ça est bien beau, mais tu devais nous arriver avec un projet destiné à augmenter notre nombre de clients.

— C'est là où je voulais en venir, rassure-toi. Dans les faits, ce tableau nous laisse deux possibilités. Nous pourrions mettre nos efforts sur la publicité. S'il entre 100 personnes de plus dans le magasin, avec notre taux de conclusion de 58 %, cela fera 58 ventes de plus.

— En autant que ce ne soit pas Jean-Claude qui réponde aux nouveaux clients!

— Très drôle. Nous pourrions également concentrer nos efforts sur nos vendeurs. Si nous arrivions à augmenter leur taux de conclusion à 75 %, cela représenterait une augmentation de 29 % de nos ventes. Qu'en pensez-vous?»

Julie répond la première : «C'est très intéressant. J'aime bien ce raisonnement. Nous devons donc choisir entre l'efficacité ou la quantité. Le problème est très bien posé. Nous pourrions évaluer, à l'aide d'un tableur, les coûts de l'une ou l'autre de ces solutions.»

La conversation se poursuit un bout de temps. Les deux avenues semblent également intéressantes, et il est évident que la décision vous reviendra.

*

* *

Qu'allez-vous décider?

• Si vous choisissez d'augmenter la publicité, passez au chapitre 25.

• Si vous choisissez de mettre plus de pression sur les vendeurs, passez au chapitre 26.

25

Quel genre de publicité?

Les après-midi d'avril sont idylliques à Saint-Louix. Le soleil, omniprésent, et la verdure, longtemps refoulée sous l'épaisse neige, ont enfin repris possession du territoire. Vous avez décidé de ne pas vous rendre au travail aujourd'hui. Assis sur votre patio, vous vous êtes découvert d'un fil (eh oui! les héros ne suivent pas toujours les proverbes!) et vous terminez un tableau qui, vous l'espérez, vous aidera à décider où vous concentrerez vos efforts publicitaires dans les prochains mois.

Vous avez trois possibilités : baisser vos prix, offrir un programme de financement ou vous engager socialement en espérant que ce geste aura des retombées positives pour votre commerce. La question est simple : laquelle de ces stratégies vous amènera le plus de clients? Vous posez votre stylo sur la table en fibre de verre et vous jetez un long regard à l'horizon avant de retourner à l'étude du tableau et de reprendre, l'une après l'autre, chacune des solutions qui se présentent à vous.

Quelle publicité choisir?

Stratégies	Baisse des prix	Financement	Implication sociale
Objectif	Hausse du nombre de clients	Hausse du nombre de clients	Hausse du nombre de clients
Mécanisme	Sentiment d'urgence	Devance les achats	Notoriété
Avantage	Effets rapides	Élargissement de la clientèle	Faible coût
Inconvénient	Coût élevé	Coût élevé	Pas d'urgence

1. La baisse des prix

En utilisant cette stratégie, vous créez un sentiment d'urgence chez les gens à la recherche du produit que vous vendez. Vous pouvez, par exemple, annoncer que d'ici la fin du mois tous les mobiliers de chambre seront réduits de 20 % et qu'après il sera trop tard. Ceux qui sont à la recherche d'un mobilier de chambre, même s'ils n'ont pas l'habitude d'acheter chez vous, viendront quand même faire un tour, et ce sera à vos vendeurs de les transformer en clients actifs. L'avantage de cette proposition, c'est que ses effets sont rapides, mais par contre, elle coûte cher, tant en escomptes qu'en publicité médiatique.

2. Le financement

En annonçant, par exemple, que vos clients n'auront rien à débourser d'ici 8 ou 12 mois, vous venez d'augmenter le pouvoir d'achat de personnes qui n'auraient pas les moyens de consommer pour l'instant. De plus, en devançant leurs achats, ces consommateurs n'iront pas chez Meubli-Mart en septembre.

Les avantages sont nombreux : devancer les achats, aller chercher des clients qui achètent présentement ailleurs et créer un lien avec le client qui vient faire ses paiements au magasin et qui hésitera à acheter ailleurs, parce que son compte est déjà ouvert chez vous. Par contre, les frais en intérêts sont élevés, et votre image de prestige en souffrira peut-être un peu.

3. L'engagement social

Si vous trouvez une cause sociale qui fait l'unanimité parmi la population et que vous êtes capable de créer un lien dans l'esprit des consommateurs entre cette cause et votre commerce, vous arriverez ainsi à augmenter votre notoriété et à faire pencher la balance en votre faveur quand le client hésitera entre deux magasins.

Cette stratégie n'implique aucune dépense importante, mais elle ne crée pas de sentiment d'urgence. Les clients que vous irez chercher de cette façon ne ressentiront pas le besoin de se presser pour acheter. Ils penseront à vous quand ils auront besoin de meubles mais ils ne devanceront pas leurs achats. C'est à long terme que cette stratégie rapportera le plus.

Vous déposez le tableau sur la table, puis reprenez votre stylo avant de le déposer à son tour. Sur la rampe de métal, à moins de deux mètres de vous, un geai bleu vient de se poser et il vous regarde avec curiosité. Sans bouger, vous lui adressez la parole : «Et toi, que ferais-tu à ma place?»

Le volatile s'envole aussitôt, comme si la publicité ne lui disait rien qui vaille. Vous l'enviez un instant, en vous disant que ce serait bien tentant de s'échapper du commerce quelques temps, d'aller dans le Sud ou n'importe où ailleurs.

Un léger frisson vous traverse à ce moment. Un nuage vient de cacher le soleil, et vous ressentez immédiatement la baisse de température. Vous vous levez, ramassez toutes vos choses, et rentrez à l'intérieur vous faire un bon café. La caféine vous aidera peut-être à prendre votre décision.

Ce que vous souhaitez avant tout, c'est aller chercher de nouveaux clients. Votre choix devrait alors être facile. Il suffit de choisir la stratégie publicitaire qui saura vous attirer des consommateurs. Mais vous devez également vous assurer qu'ils resteront avec vous, en septembre, quand votre nouveau concurrent aura ouvert ses portes.

L'envie d'en parler à Chantal vous vient tout à coup. Mais elle vous renverra probablement la question en exigeant que vous redéfinissiez le problème. Pourquoi la déranger avec ça? Le temps est venu de prendre une décision.

*
*   *

Que décidez-vous?

• Si vous choisissez une baisse de prix, passez au chapitre 29.

• Si vous choisissez le financement, passez au chapitre 30.

• Si vous choisissez l'engagement social, passez au chapitre 31.

Le bâton ou la carotte?

Dès que le serveur s'est éloigné, Gilles commence à dévoiler ses interrogations. Il a insisté pour que la rencontre ait lieu à l'extérieur du magasin pour se protéger le plus possible des oreilles indiscrètes. «Les murs ont des oreilles», vous a-t-il dit.

— J'ai repris le test de conclusion des ventes cette semaine également.

— Et puis?

— Les résultats sont les mêmes, à plus ou moins 2 %.

— Et comment prévois-tu t'y prendre pour augmenter notre taux de conclusion? N'accepter dans le magasin que les clients s'engageant à acheter!

— Je ne sais pas. En fait, j'hésite entre le bâton ou la carotte.

— Que veux-tu dire?

— Je me demande s'il vaut mieux récompenser les gagnants ou punir ceux qui ne performent pas à notre goût. C'est très délicat. Mon objectif, c'est d'augmenter notre taux de conclusion, mais dois-je les récompenser s'ils y arrivent ou les punir s'ils échouent? Comment puis-je les motiver?

— As-tu pensé à leur offrir de la formation? J'ai encore vu une annonce d'Elfiky, l'auteur du livre *Top vendeur*, dans le journal cette semaine.

— J'y ai pensé, mais ça ne change rien. Un séminaire de formation peut autant être perçu comme une récompense ou une punition. Ce que je dois décider, c'est comment aborder les performances insatisfaisantes.

— Laisse-moi t'aider. Reprenons ton allusion au bâton et à la carotte. Supposons que tu choisisses le bâton. Qu'est-ce que cela implique dans la réalité?»

Gilles dépose ses ustensiles et réfléchit une minute. Vous jetez un coup d'œil alentour. Il n'y a pas d'oreilles indiscrètes en vue. «Si nous choisissons la carotte, nous pourrions accorder une prime à ceux qui augmentent leur taux de conclusion et offrir un séminaire à tous ceux qui le désirent. De cette façon, nous courons la chance de voir nos vendeurs se dépenser un peu plus dans les mois qui viennent.

— Pourquoi ne le fais-tu pas?

— Parce que ce n'est pas contraignant. S'ils ne réagissent pas, ils ne perdent rien. Et je me demande si c'est une bonne idée.

— Sont-ils au moins au courant de leur taux de conclusion actuel?

— Non. Je ne leur en ai pas parlé.

— Ce serait sûrement bon de le faire.

— C'est ce que je pensais faire si j'utilise la stratégie du bâton. Ils sont déjà au courant de l'arrivée de Meubli-Mart. Je pourrais leur expliquer que leur taux de conclusion actuel est insatisfaisant et que, s'il n'y a pas d'amélioration, nous devrons nous passer de leurs services. La crainte de perdre leur emploi les poussera à faire plus d'efforts et, en bout de ligne, nous en sortirons tous gagnants.

— Mais s'ils ont le moral à plat, leur taux de conclusion va peut-être baisser.

— C'est pour ça que je voulais en parler. Je ne sais vraiment pas quoi faire. Ils ont tous l'impression, selon moi, de faire du bon travail. Ce serait plus facile de demander une meilleure performance en agitant le spectre de Meubli-Mart, sinon, ils vont se demander pourquoi nous nous énervons soudainement avec des performances qui nous satisfaisaient le mois dernier.

— Et si je te donnais dix secondes pour choisir entre le bâton et la carotte?

— Je choisirais le bâton, mais je ne suis pas sûr que ce soit la bonne solution.»

Les minutes suivantes se passent en silence. Chacun termine son assiette et réfléchit à ce qui vient d'être dit. Quand le serveur vient proposer des desserts, vous déclinez tous les deux et optez pour un café. Gilles vous regarde : «C'est drôle. Je suis gérant des ventes depuis plusieurs années et je commence à peine à exiger plus de mes vendeurs. Jusqu'à maintenant, je me contentais de les aider dans leur travail. Je leur calcule les meilleurs prix, je les assure de la disponibilité du produit, je leur confirme que nous pourrons livrer telle ou telle journée. Ce n'est pas vraiment ce que l'on pourrait appeler de la "supervision".»

Il a raison, mais ce n'est pas sa faute : il était au départ un excellent vendeur, et vous l'avez nommé gérant des ventes sans jamais lui expliquer ce que vous attendiez de lui. Il s'est occupé des choses qu'il connaissait. Vous ne pouvez pas lui en vouloir. «Aimerais-tu que je décide à ta place?»

La proposition semble le ravir. «C'est ce que je souhaite par-dessus tout.

— Bon, eh bien, je vais le faire. Je prends les choses en main.»

Quelques minutes plus tard, en quittant le Canard argenté, vous vous dites que vous devrez très probablement lui offrir une formation en gestion d'une équipe de vente. Mais, d'ici là, vous prenez les rênes. Motiver vos vendeurs ne devrait pas être si difficile, ce sont des gens compétents et soucieux de bien faire. Il suffit de choisir comment vous leur présenterez vos nouvelles exigences.

*

* *

Que décidez-vous?

• **Si vous choisissez la carotte, passez au chapitre 27.**

• **Si vous choisissez le bâton, passez au chapitre 28.**

27

Le pouvoir de l'information

La salle d'attente de l'aéroport est bondée, et la compagnie El Run y a installé un bar pour que les marchands fassent connaissance dès le départ. Grâce aux grandes vitrines, vous regardez la piste. Les vents froids de février la balaient régulièrement, et vous vous dites bien chanceux de pouvoir partir au chaud pendant dix jours.

Un marchand que vous ne connaissez pas s'approche et engage la conversation. «C'est la première année que vous gagnez le voyage avec El Run? Je ne vous ai pas vu l'an dernier.

— Oui. Nous avons concentré nos achats pour atteindre le montant requis pour s'envoler vers Cancun. Le plus drôle, c'est que mon inventaire n'a pas gonflé, parce que mes vendeurs sont plus efficaces.

— Moi, vers la fin, j'ai dû acheter plus que nécessaire. Si vous voyiez mes entrepôts! Mais ce n'est pas grave. Nous trouverons bien un moyen, au retour, pour liquider les invendus.

— J'espère que nous serons bien reçus.

— Ne vous en faites pas. La compagnie y met toute la gomme. C'est l'occasion pour ses représentants de tisser des relations solides avec nous tous. Pour eux, ce voyage, c'est davantage un placement qu'une dépense. Alors ils investissent.»

«Les passagers du vol 427 à destination de Cancun sont priés de se présenter à la porte d'embarquement numéro 23. Les passagers du vol 427 à destination de Cancun sont priés de se présenter à la porte d'embarquement numéro 23.»

«C'est pour nous. *All aboard!*»

Vous laissez l'autre marchand passer et vous vous rapprochez de la file d'attente, vous promettant de passer ces dix jours à trouver des idées pour améliorer la compétitivité de votre commerce.

*
*   *

Eh oui! Contre toute attente, l'année qui vient de se terminer n'a pas été si mauvaise. Vous la terminez avec un chiffre d'affaires identique à l'année précédente. Bien sûr, Meubli-Mart vous a fait mal, et vos ventes ont légèrement diminué à partir de septembre, mais l'avance que vous aviez prise pendant l'été a compensé. Votre taux de conclusion a, en août, atteint les 75 %! À bien y penser, votre programme en quatre étapes était tout indiqué :

1. Dans un premier temps, vous avez rencontré tous les vendeurs, individuellement, pour leur expliquer que vous entendiez faire face à Meubli-Mart et garantir leurs emplois. Par la suite, vous leur avez présenté leur taux de conclusion en expliquant qu'il leur fallait améliorer leurs performances.

    À ce moment, chacun était surpris de son taux de conclusion, le trouvant inférieur à ce qu'il aurait intuitivement évalué. Vous vous quittiez à ce moment en vous engageant mutuellement à faire en sorte de demeurer le leader du meuble et de l'électroménager à Saint-Louix.

2. Dans un deuxième temps, vous avez réuni tous les employés et vous êtes engagé à répartir, également entre eux à la fin de chaque mois, 2 % de l'excédent des ventes brutes du mois écoulé par rapport au même mois de l'année précédente. Ce programme devait garantir, vous l'espériez, un esprit de corps dans votre équipe.

Vous souhaitiez en effet que les efforts de vente soient appuyés par le personnel administratif et le service de livraison. C'était, dans votre esprit, essentiel à la survie de votre commerce. Aujourd'hui, vous vous félicitez de cette décision.

3. Par la suite, vous avez élaboré un programme complet de formation. Des séminaires de vente, des rencontres avec les formateurs de chaque fournisseur, des petites soirées où le spécialiste maison de tel ou tel produit expliquait ses trucs à ses collègues. Face à un client, vos vendeurs devenaient moins nerveux, car ils pouvaient maintenant faire face à toutes les objections. C'est à ce moment que le taux de conclusion de chacun a augmenté le plus.

4. Finalement, vous avez responsabilisé vos vendeurs et les avez libérés du goulot qu'était devenu Gilles au fil des mois. Vous avez fixé des balises pour chaque compagnie et leur avez montré comment compter eux-mêmes les prix de vente. Vous avez libéré certains accès au système informatique pour qu'ils soient au courant des articles en commande et des produits déjà vendus. Vous avez finalement établi des politiques claires concernant le service après-vente pour que chaque plainte soit réglée à la base et que vous n'ayez pas à vous en mêler.

Votre équipe est aujourd'hui plus motivée, plus compétente et plus performante. La preuve, malgré l'arrivée de Meubli-Mart, vous partez aujourd'hui vous réchauffer sur les plages mexicaines. Tout cela grâce au pouvoir de l'information. Vous n'osez pas imaginer ce qui se serait passé si vous aviez fait face à Meubli-Mart avec votre ancienne gestion des ressources humaines.

*

*   *

Bravo! En vous assurant que vos vendeurs savent ce qui est attendu d'eux et en leur donnant les outils nécessaires pour qu'ils se prennent en main, vous avez multiplié la puissance de votre organisation. Il vous reste maintenant, pour cette année qui commence, à reprendre ce que Meubli-Mart vous a enlevé comme marché en fin d'année.

En agissant autrement, vous auriez pu trouver une finale plus intéressante. Pourquoi vous contenter de cette petite victoire quand un éclatant triomphe vous attend ailleurs? Remontez vite dans le temps et retournez au chapitre 1, 4, 6, 18, 19, 24 ou 26 pour reprendre votre aventure. Cancun, c'est bien, mais le triomphe, c'est plus grisant encore!

28

Un knock-out technique

«Bonjour Guy. Tu as demandé à me voir?

— Oui.» Il est visiblement nerveux. Il referme la porte derrière lui et s'approche de votre bureau. «Je veux vous parler.»

Il est inhabituel qu'il vous vouvoie. Il a depuis long-temps pris l'habitude de vous tutoyer, et ce changement dans son langage vous rend vous-même nerveux. «Assieds-toi. Que se passe-t-il?

— Je donne ma démission.

— Quoi?

— Je donne ma démission. Je change d'emploi. Je... je m'en vais chez Meubli-Mart.

— Tu passes à l'ennemi! Mais pourquoi? Tu ne peux pas me faire ça; tu es mon meilleur vendeur.» Vous avez de la difficulté à gober la nouvelle. Il veut probablement renégocier ses conditions d'emploi. «Qu'est-ce qu'on t'offre de plus qu'ici? On peut s'arranger.

— Ce n'est pas ça. À vrai dire, je ne m'attends pas à faire davantage là-bas. C'est simplement que, là-bas, je sais que mon emploi est bon pour longtemps.

— Il est garanti ici aussi. Qu'est-ce que c'est que cette histoire?

— Je ne crois pas que le magasin fera le poids face à Meubli-Mart. Excusez-moi, mais je pars pendant qu'il y a encore de la place ailleurs.

— Qu'est-ce qui peut te faire croire que nous ne ferons pas le poids? C'est du délire, ma foi! Nous avons tout pour passer au travers.

— Ce n'est pas ce que vous nous dites depuis le mois d'avril. Et je ne suis pas le seul à le penser. Ça va faire bien des envieux quand les autres vont savoir où je m'en vais.»

Vous n'en revenez pas. Son discours vous laisse sans bras ni jambe, complètement sonné. «Pourquoi ne pas y réfléchir quelques semaines encore? Après tout, nous sommes au début d'août, et Meubli-Mart n'ouvre qu'au début du mois prochain. Prends quelques jours de congé et réfléchis un peu. Nous avons besoin de toi.

— Ce n'est pas possible. Je dois partir tout de suite. On m'offre trois semaines de perfectionnement dans une succursale de Montréal. Désolé.»

Le sort en est jeté. Vous n'arriverez pas à lui faire changer d'idée. Vos routes se séparent aujourd'hui. Vous vous levez et lui tendez la main. «C'est bon. Je vais demander à Julie de préparer ta cessation d'emploi et tes payes de vacances. Je te souhaite du succès dans ton nouveau travail, mais dis-toi que la porte reste ouverte et que, si tout ne va pas comme tu le souhaites, tu seras le bienvenu ici, dans notre équipe.»

Il saisit la main que vous lui tendez et la serre fortement. «Je vais m'ennuyer. Mais les événements font que je n'ai pas le choix. Souhaitez-vous que je termine ma semaine?

— Oui, mais n'en parle à personne. Je dois réfléchir.»

*
* *

Dès que la porte s'est refermée derrière lui, vous vous demandez ce qui peut s'être passé pour qu'il ait la conviction qu'en restant chez vous il court tout droit vers le chômage. Cette interrogation vous pousse à repasser mentalement les événements des derniers mois.

Vous avez commencé, en avril, par réunir tous les employés. Vous leur avez alors confirmé que Meubli-Mart s'installait en ville et vous avez insisté sur le fait que, s'ils n'augmentaient pas les ventes, leurs emplois seraient en grand danger avant Noël. Cette menace, vous vous en rappelez maintenant, avait pour objectif de les motiver.

Par la suite, pour montrer que vous n'endureriez plus les mauvaises performances, vous avez mis Jean-Claude à la porte. Vos ventes mensuelles ont commencé à chuter, et, chaque fois que l'occasion se présentait, vous prédisiez la faillite ou la fermeture si les attitudes ne changeaient pas.

Maintenant que vous y repensez, ce climat de morosité et la baisse de votre chiffre d'affaires résultent de votre stratégie de motivation de vos vendeurs. En mettant l'accent sur le scénario le plus noir, vous avez peut-être vous-même miné le moral de vos troupes en suscitant l'angoisse et le pessimisme. Si tel est le cas, il est possible que le cancer soit plus étendu et que d'autres vendeurs songent également à vous quitter.

Et dire que le mois d'août ne fait que commencer! Que se passera-t-il en septembre, quand le véritable combat débutera? Vous en frissonnez déjà. Votre meilleur vendeur passe dans le camp ennemi. Quels effets la nouvelle aura-t-elle sur les autres vendeurs?

Vous vous levez et décidez d'aller vous mêler au groupe. Il faut que vous preniez le pouls de votre force de vente. Le temps de changer d'attitude est arrivé, mais comment rebâtir les ponts sans avouer que vous vous êtes trompé? Peut-être vaudrait-il mieux faire un *mea culpa* et repartir à neuf. Vous approchez d'un groupe de vendeurs qui parlent à voix basse. À votre approche, le groupe se disperse. Peut-être est-il déjà trop tard? Faut-il lancer la serviette?

*
*   *

Votre histoire se termine ici. Meubli-Mart n'a pas encore ouvert ses portes et vous voici déjà knock-out, victime de vos propres machinations. Ce n'est pas par la crainte que l'on encourage les gens à se dépasser. Vous le savez maintenant. Heureusement que ce livre vous permet de remonter dans le temps. Retournez vite au chapitre 1, 4, 6, 18, 19, 24 ou 26. Il y a sûrement un endroit où vous avez fait un mauvais choix. Tout n'est pas perdu.

29

Un graphique inquiétant

Novembre n'a jamais si bien porté son titre de *mois des morts*. Il se termine aujourd'hui, et votre personnel clé, réuni après la fermeture, attend l'arrivée de Julie pour commencer la réunion. Personne ne se fait de cachette : le moral est bas dans le magasin, et les relations avec les clients sont tendues.

«J'espère que ça s'est amélioré. J'ai hâte de la voir arriver avec les résultats. Si c'est pire que le mois dernier, ça va être dur à avaler», lance Gilles.

Julie, dans son bureau, termine la compilation des ventes du mois pour vérifier les résultats par rapport au même mois l'an dernier. Septembre et octobre ont indiqué d'importantes chutes, et on espère avoir renversé la tendance.

«Si les ventes ont encore baissé, nous allons devoir revoir notre stratégie. Nous ne pouvons pas ratatiner mois après mois et ne pas réagir», ajoute Daniel.

Julie arrive à toute vitesse, une pile de papiers sous le bras. «Ça a été un peu long, mais voici les graphiques. Vous en avez chacun une copie.»

Daniel réagit le premier : «Merde! On a encore baissé! Qu'est-ce qu'on fait de pas correct?»

Gilles n'est pas d'accord. «Je ne suis pas prêt à dire que nous ne sommes pas à la hauteur. Si nous prenions connaissance des résultats chez Tremblay et les autres, nous verrions peut-être que nous ne nous débrouillons pas trop mal face à Meubli-Mart. Je dis qu'il ne faut pas nécessairement changer notre stratégie.

— Mais regarde les chiffres! Nous tombons en chute libre!»

Vous sentez le besoin de réagir. «Julie, pourquoi ne nous expliquerais-tu pas ton graphique avant de continuer? Nous serons peut-être en mesure de mieux réagir.»

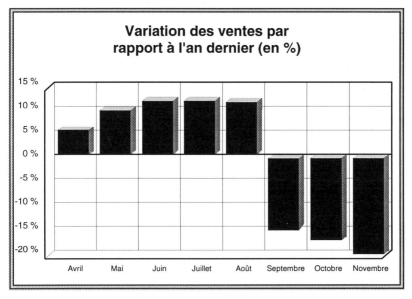

Confidentiel. Préparé le 30 novembre 1994.

— Très bien. Notre nouvelle stratégie de *loss leader* a été instaurée en avril. Immédiatement, les ventes ont commencé à monter par rapport à celles de l'année précédente. Cette croissance de nos ventes a gonflé de mois en mois pour se stabiliser aux environs de 11 % en juin, juillet et août. Cependant, dès l'ouverture de Meubli-Mart, nos ventes ont connu une chute de 15 % et cette chute atteint aujourd'hui les 20 %. Mais si nous n'avions pas adopté

142

notre nouvelle stratégie, je crois que notre baisse des ventes excéderait les 11 %, soit ce que nous a apporté le nouveau programme. Quelqu'un a-t-il des commentaires?

— Oui. Si nos ventes ne cessent pas de baisser, affirme Gilles, il va falloir se départir d'un vendeur. Leur salaire a déjà chuté de 23 % dans certains cas, et le moral est à zéro. Si nous continuons à descendre, nous ne pourrons plus préserver leurs salaires, à moins de faire une ou deux mises à pied.

— Mais nous n'en sommes pas rendus à gérer la décroissance! J'espère que nous allons nous ressaisir et repartir vers la croissance à court terme. Nous n'allons tout de même pas nous contenter des miettes que nous laisse Meubli-Mart!

— Mais nous avons fait tout ce que nous pouvions faire. On ne peut tout de même pas donner nos produits pour conserver notre volume de vente. Que voudrais-tu que l'on fasse d'autre?

— Je ne sais pas, mais j'ai l'impression que nous avons fait fausse route quelque part.»

Julie essaie de ramener le débat. «Je répète que, selon moi, si nous avons fait fausse route quelque part, nous avons fait beaucoup de choses. Je suis certaine que nous serions en bien plus mauvaise posture si nous n'avions rien fait jusqu'ici.

— Mais où va se terminer cette descente? Voilà la grande question.

— En tant que propriétaire, tout ce que je peux dire, c'est que je suis satisfait des efforts que chacun a faits depuis quelques mois. Il nous reste simplement à trouver autre chose.»

*

*   *

Votre histoire se termine ici. Vous avez certes utilisé des outils qui vous ont permis de faire face à la nouvelle concurrence, mais vous ne vous êtes pas vraiment prémuni contre les dommages que peut vous infliger Meubli-Mart. Il semble que vos ventes n'ont pas fini de diminuer. Reprenez donc votre aventure en retournant au chapitre 1, 4, 6, 18, 19, 24 ou 25.

30

Le choix des armes

La salle est bondée et le cocktail se déroule très bien. On sent la bonne humeur dans l'air, et les visages sont souriants. Vous vous promenez au hasard, serrant les mains, saluant de la tête, content de vous évader, ne serait-ce qu'une soirée, du climat de morosité qui prévaut dans votre commerce depuis quelques mois.

Tous les ans, au mois de février, la chambre de commerce organise ce grand gala des affaires. On y choisit la personnalité de l'année et le commerce ayant le plus progressé. Inutile de dire que vous n'êtes pas en lice.

«Bonsoir! Ça va bien?»

C'est Benoît Simoneau, votre ancien patron. «Bonsoir Benoît. Ça va assez bien, merci.

— Et le petit nouveau en ville, ce Meubli-Mart, l'as-tu bien mis à sa place?

— Pas vraiment. Je t'avouerai qu'il me fait plus de tort que je ne peux lui en faire.

— Dis, je voudrais te parler d'un projet que je dirige à l'usine. Ça ne te dérange pas que je t'ennuie un peu avec mes problèmes?

— Pas du tout. Ça va me réconforter de savoir que je ne suis pas tout seul à en avoir.

— Bon. Voici mon projet. J'ai l'intention de m'attaquer de plein fouet aux Meubles MAQ dès cette année. Je vais produire une gamme de produits pareille à la leur, mais pas aussi diversifiée. Nous aurons des prix semblables et je prévois offrir des promotions identiques aux leurs, mais juste un peu moins avantageuses. Je voudrais que les marchands commencent à acheter cette nouvelle série et cesse d'encourager MAQ. Comment devrais-je faire ma mise en marché?

— C'est à Chantal qu'il faudrait demander cela. Mais, à mon avis, tu fais fausse route.

— Ah oui? Comment ça?

— Ta stratégie ne te permettra pas de te différencier. Tu penses offrir la même gamme de produits ou presque, les mêmes stratégies mais moins avantageuses, tout ça aux mêmes prix. Pourquoi les marchands achèteraient-ils ces meubles chez vous? Que leur donnes-tu de plus? As-tu une meilleure force de vente, un meilleur service ou quoi que ce soit d'autre qui te permettrait de te différencier? Ta proposition me surprend.

— Eh bien, puisque nous en sommes aux confidences, je te dirai que ta réponse me surprend beaucoup. J'étais certain que tu allais m'appuyer. Après tout, c'est cette stratégie que tu utilises contre Meubli-Mart.

— Pardon?

— Oui. Regarde-toi face à ton nouveau concurrent. Vous vendez à peu près les mêmes produits en plancher. Vrai ou faux?»

Vous hésitez un peu avant de répondre. «Vrai.

— Vous offrez des prix semblables?

— Oui.

— Et tu te bats depuis le début avec des programmes de financement, avec la marque de commerce de Meubli-Mart. Vrai ou faux?

— Vrai.

— Alors dis-le-moi si j'ai tort, mais, selon moi, tu n'offres rien de plus et tu encourages les clients à te considérer comme un "Mini-Meubli-Mart". Je te retourne donc la question que tu me posais tout à l'heure : "Que leur offres-tu de plus? Pourquoi les clients achèteraient-ils chez vous? As-tu une meilleure force de vente, un meilleur service ou quoi que ce soit d'autre qui te permettrait de te différencier?"»

Ce qu'il raconte a du bon sens. Il aurait fallu que cette rencontre se produise plus tôt. Pourquoi ce mythe de l'entrepreneur qui affronte tous les dangers en ne comptant que sur lui-même est-il si tenace? «Je te remercie, Benoît, de m'avoir collé au mur. Ce que tu dis a bien du sens.

— Quand tu voudras. Tu sais que je ne déteste pas brasser les gens.»

*
*　*

Le reste de la soirée s'est déroulé sans votre participation active. Savoir qui était récipiendaire vous laissait indifférent. La discussion que vous aviez eue avec votre ancien patron vous hantait et, en route vers la maison, vous repensez aux derniers mois.

Vous auriez probablement dû essayer d'en connaître davantage sur votre futur concurrent avant d'arrêter une stratégie. De cette façon, vous auriez pu concevoir une campagne en mettant l'accent sur ce qui vous différencie de Meubli-Mart. Comment se fait-il que vous n'ayez rien vu, alors que la même stratégie, proposée par Simoneau, vous a sauté au visage? Décidément, il est plus facile de

147

voir la paille dans l'œil de son voisin que la poutre qui nous aveugle presque complètement. Vous vous promettez de vous reprendre en main, dès demain.

*
*   *

Votre histoire se termine ici. Vous n'avez pas su garantir votre base de clients, et celle-ci n'a pas de raison de continuer à acheter chez vous. De fait, vous avez laissé au hasard l'avenir de votre commerce, et ce qui adviendra dans les prochains mois découlera davantage des stratégies de Meubli-Mart que de ce que vous ferez. Remontez dans le temps et retournez au chapitre 1, 4, 6, 18, 19, 24 ou 25. Ameublements Saint-Louix doit continuer à prospérer. Nous ne souhaitons rien de moins.

31

Du «ben» bon monde!

Saint-Louix, malgré une vitalité économique que plusieurs municipalités lui envieraient, connaît néanmoins des problèmes aigus concernant la répartition de la richesse. La preuve : sa banque alimentaire ne suffit plus et doit composer, d'année en année, avec une demande de plus en plus grande.

À la mi-avril, vous avez décidé d'utiliser cette banque alimentaire pour augmenter votre notoriété et votre «capital-sympathie» auprès de la population. Pendant les mois de mai et de juin, pour chaque matelas vendu, vous avez versé 20 $ à la banque alimentaire. Votre plan de communication, approuvé par le directeur général de l'organisme, comprenait trois points de contact avec le public.

Dans un premier temps, une grosse conférence de presse aura lieu au début mai. Elle aura pour but de lancer officiellement le programme et réunira, en plus de vous, le directeur général de la banque alimentaire, le représentant régional de Centraide et le président de la Table de concertation de Saint-Louix. C'est la banque alimentaire qui conviera la presse. C'est la meilleure façon de s'assurer que l'événement sera couvert, car les médias veulent toujours conserver leur indépendance face aux annonceurs.

Par la suite, en mai et en juin, chacune de vos publicités rappellera la campagne à la population. Ces rappels quotidiens devraient améliorer, semaine après semaine, l'estime que les gens ont de votre commerce.

Finalement, au début de juillet, une autre conférence de presse aura lieu pour officialiser la remise du chèque. À ce moment, vous entamerez des négociations avec un autre organisme pour recommencer une campagne semblable lors de l'ouverture de Meubli-Mart.

*

* *

Nous sommes le 25 mai. Depuis près d'un mois, votre campagne est officiellement en cours. Cette photo, encadrée sur un des murs de votre bureau, a été prise au cours de la première conférence de presse. Normalement, si cette campagne se déroulait comme prévue, vos ventes de matelas devraient être en hausse. Mais malgré tout, vos ventes n'affichent aucune hausse par rapport à l'an dernier. Cette situation vous inquiète, car, si vos ventes n'augmentent pas tout de suite, que se passera-t-il en septembre quand votre nouveau concurrent ouvrira ses portes?

Vous faites le tour de la surface de vente quand vous apercevez Mme Sauvageau, une ancienne cliente, assise à une table près du rayon de la literie. Patrick, face à elle, stylo à la main, remplit une facture. Vous vous approchez. «Bonjour madame Sauvageau. Comment allez-vous? Belle journée, n'est-ce pas?»

Après vous avoir salué et avoir serré la main que vous lui tendiez, Mme Sauvageau vous explique qu'elle vient de faire l'acquisition d'un nouveau matelas. «C'est très bien, cela! Un matelas pour être mieux couchée. Vous savez que votre achat bénéficie directement à la banque alimentaire de Saint-Louix?

— Oui. J'ai vu votre portrait dans le journal. Mais ce n'est pas pour cela que j'achète aujourd'hui. J'avais déjà décidé d'acheter de toute façon.

— Vous n'avez pas devancé votre achat pour ça?

— Pas du tout! Je devance mes achats si on m'offre un gros rabais et si je prévois avoir besoin d'un produit dans un avenir rapproché. Mais jamais je n'achèterais un produit pour encourager un organisme de charité. Après tout, chaque année, je contribue personnellement à Centraide. Ma part est faite.»

Cette conversation avec cette cliente de la première heure (elle achetait déjà du temps de M. Lavallée) vous intéresse au plus haut point. Elle est en train de vous révéler des choses que vous auriez dû savoir il y a quelques mois. «Supposons un instant que vous n'achetez pas régulièrement chez nous. Si vous aviez vu cette annonce dans le journal, seriez-vous venue acheter ici? Notre engagement social aurait-il eu un effet sur le choix de votre marchand?

— Pour d'autres peut-être, mais pas pour moi. J'ai l'habitude de retourner acheter là où j'ai été bien servie la dernière fois. Ce ne serait pas pareil dans le cas d'une publicité négative, par contre.

— Pardon?

— Supposons qu'un article paraisse et vous accuse de déversement interdit ou de menace à l'environnement. Je cesserais immédiatement d'acheter ici. C'est drôle, mais c'est comme ça : les bonnes nouvelles ne m'attirent pas, mais les mauvaises vont à tous coups influencer ma décision d'achat. Je ne voudrais pas être associée à un pollueur.»

Patrick a depuis un bout de temps terminé sa facture. Il est temps de partir. «Je vous remercie, madame

Sauvageau. Ça a été très intéressant. Et, rassurez-vous, je fais bien attention de ne pas polluer l'environnement.

— Je vais donc continuer à acheter ici. Bonne journée.»

*

*   *

Votre histoire se termine ici. Si vous avez appris que la gestion de l'image publique est importante, vous savez maintenant qu'il est plus important d'éviter les nouvelles négatives que de mettre en valeur les côtés positifs de votre entreprise. Votre organisation est de retour à la case départ, et vous devez vous attendre à un automne difficile. Pourquoi ne pas remonter dans le temps et retourner au chapitre 1, 4, 6, 18, 19, 24 ou 25?

32

Les trois sondages

C'est finalement Chantal que vous avez mandatée pour réaliser votre sondage, mais très rapidement elle a déclaré qu'il fallait en réaliser trois, et vous lui avez accordé le budget nécessaire. Aujourd'hui, en cette première semaine de mai, elle est dans un coin de la salle des employés, tandis que votre personnel clé est assis autour d'une table et la regarde terminer l'installation de son rétroprojecteur.

«Vous ne nous donnez aucun document?

— Non. Je préfère avoir votre attention. Vous aurez vos copies à la fin.»

Quelques minutes plus tard, elle projette un premier transparent, et le nom du commerce ainsi que son logo apparaissent sur le mur, près du four à micro-ondes. «Comme vous le savez, nous avons procédé au cours des dernières semaines à une série de sondages pour connaître comment les différents publics perçoivent notre magasin. Ce que vous allez apprendre ce soir va sûrement vous surprendre. Et c'est pour le mieux. Je vais dans un premier temps vous donner les points saillants, puis, selon les questions que vous poserez, nous pourrons approfondir les sujets qui vous préoccupent le plus. Y a-t-il des questions?»

Personne ne répond, et elle enchaîne : «Le premier sondage a été réalisé auprès de nos clients réguliers. Nous avons fait parvenir à 300 clients un questionnaire portant sur leur expérience d'achat chez nous. Deux cents clients nous l'ont retourné, ce qui est très bien pour un sondage du genre. Il en ressort que s'ils achètent chez nous, c'est surtout à cause de l'accueil et du choix. Ils apprécient également le fait de ne pas avoir à attendre trop longtemps, mais, à la question portant sur ce qu'ils souhaiteraient que nous améliorions, ils forment nettement deux groupes distincts.»

Elle remplace le transparent et un nouveau tableau apparaît. «Un groupe important aimerait que nous améliorions notre service de livraison, tandis qu'un autre souhaiterait de meilleures conditions de paiement. À eux seuls, ces deux groupes représentent 88 % de tous les répondants. C'est un pourcentage très important.

Si nous devions changer une seule chose à notre façon de vous servir, ce devrait être:	
Livraisons plus flexibles	45 %
Modalités de paiement	43 %
Meilleurs prix	5 %
Plus de choix	4 %
Compétence des vendeurs	3 %
Compilation de la question 4 du premier sondage.	

— Nous pourrions sûrement offrir un an sans intérêt et ajouter une équipe de livreurs, mais ça nous coûterait une petite fortune, ajoute Daniel. Que doit-on faire avec ces résultats?

— Si vous le voulez bien, je vais continuer avec ma présentation, et nous pourrons en discuter par la suite. D'accord?»

Sur ce, Daniel se tait et hoche la tête. Chantal continue : «Notre deuxième sondage a consisté en une série d'entrevues téléphoniques réalisées avec d'anciens clients qui n'ont rien acheté depuis au moins quatorze mois. Le tiers de ces gens ne sont pas revenus parce qu'ils n'ont pas eu besoin de meubles depuis, mais les deux tiers des anciens clients ne reviendront plus parce que leur dernier achat les a laissés très insatisfaits.

— Comment ça? De quoi se plaignent-ils?

— De choses et d'autres, mais ce qui revient le plus souvent, c'est l'impression d'avoir été trompé. Plusieurs ont raconté s'être fait promettre des choses qui ne se sont jamais réalisées. Parmi ces promesses, la plus courante, c'est l'heure de la livraison. Des vendeurs promettaient des heures de livraison qui n'étaient pas respectées.»

Daniel bondit : «Combien de fois ai-je demandé de ne rien promettre? Mais non, c'est comme s'ils avaient peur de perdre leurs ventes s'ils ne disent pas n'importe quoi!

— Il semble que, même s'ils concluent leurs ventes, ils y perdent leurs clients.

— Et le troisième sondage?

— Nous souhaitions obtenir l'avis de personnes qui n'avaient jamais acheté ici. C'est pourquoi nous avons formé un groupe de discussion réunissant des gens pris au hasard, et nous avons parlé avec eux. Ces gens ignoraient quel commerce nous avait mandatés. Voici quelques résultats.» Chantal place sur le rétroprojecteur un nouveau transparent.

4. Nommez un magasin de meubles de la région.	
Ameublements Tremblay	41 %
Ameublements Saint-Louix	29 %
Les meubles Bergeron	26 %
Grandes surfaces (Sears, Eaton, etc.)	4 %

155

8. Quelle perception avez-vous de Ameublements Saint-Louix?	
Meubles chers	34 %
Meubles de luxe	32 %
Bon magasin	24 %
Aucune opinion	10 %
Extrait du troisième sondage (*focus group*)	

Des murmures parcourent la salle, mais Chantal continue : «Il semble qu'un peu moins du tiers des consommateurs pensent à nous quand vient le temps d'acheter des meubles. Si notre échantillon de consommateurs est représentatif, nous occupons la deuxième place dans la région. C'est une bonne nouvelle.

— Une bonne nouvelle! Comment ça? Je nous croyais au premier rang!

— Il y a encore place à la croissance. Nous n'avons pas encore atteint la maturité, et d'excellents défis nous attendent. C'est merveilleux. D'autant plus que les résultats de notre question numéro 8 indiquent que les gens vous associent à un commerce haut de gamme offrant des produits qu'ils ne peuvent se payer.»

Cette fois, c'est vous qui réagissez. «C'est complètement faux! Notre gamme est très populaire. Nous offrons à peu près la même chose que les autres.

— Peut-être, mais les gens ont conservé l'image qu'entretenait M. Lavallée alors que le commerce lui appartenait. Votre positionnement n'a pratiquement pas changé depuis.»

Gilles tente de résumer la présentation. «En somme, nous avons deux problèmes : nos clients actuels sont insatisfaits, et les gens s'imaginent que nous vendons trop cher pour leurs moyens. C'est bien cela?

— En partie seulement. Rappelez-vous que la majorité de nos clients sont satisfaits de nos services, mais nous éprouvons des ennuis avec les promesses. Ce n'est pas la fin du monde.

— Si ce n'est pas la fin du monde, où devrons-nous concentrer nos efforts?

— Nous pouvons tenter d'augmenter la satisfaction de notre clientèle actuelle. De cette façon, leur fidélité augmentera. Nous pouvons aussi repositionner notre image d'entreprise dans l'esprit des autres consommateurs. Mais si vous optez pour cette solution, il faudra faire attention de ne pas perdre les clients qui achètent justement chez vous parce que nous avons une image de prestige.

— Que nous suggères-tu?

— Si j'étais propriétaire, je choisirais le programme de fidélisation, mais je me dirais constamment que je me prive des 41 % de la population qui pensent en tout premier lieu à Ameublements Tremblay. C'est très délicat.»

*
* *

Que décidez-vous?

• **Si vous décidez de fidéliser votre clientèle actuelle, passez au chapitre 44.**

• **Si vous choisissez de changer votre image, passez au chapitre 47.**

33

La grenouille et le bœuf

Les allées de l'épicerie sont bondées, et vous devez vous frayer un chemin à travers les étalages et les paniers. Au rayon des produits saisonniers, les lapins et les œufs de Pâques ont pris la place des articles de la Saint-Valentin, un autre signe que le temps fuit inexorablement. Vous tentez bien quelques sourires, mais les gens détournent simplement leurs visages, comme s'ils ne vous avaient pas vu.

Et dire que vous aviez pris l'habitude, depuis votre arrivée à Saint-Louix, d'acheter le moins possible à chaque fois pour pouvoir retourner à l'épicerie plus souvent. Vous preniez plaisir à saluer les gens, en grande partie vos clients, et à discuter des conditions météorologiques ou de politique. Sans mentir, certains jours, le simple achat d'un pain et d'un litre de lait pouvait vous prendre près d'une heure.

Mais, depuis quelques mois, les haltes sont moins fréquentes. C'est comme si les gens qui ont acheté chez Meubli-Mart étaient persuadés que vous les aviez identifiés comme déserteurs et n'osaient plus vous faire face. Cela rend les visites chez l'épicier désagréables et vous fait prendre conscience de l'ampleur de l'échec qu'a engendré votre stratégie.

*

* *

Quand vous avez décidé de copier la stratégie de Meubli-Mart, la décision avait du sens. Après tout, si ce concurrent connaît un tel succès, c'est que sa formule a du bon. Vous avez donc préparé un programme qui vous doterait d'une aussi bonne stratégie en trois volets.

Volet n° 1 : Meubli-Mart dispose d'un préposé à l'accueil. Cette personne souhaite la bienvenue à chaque visiteur et leur offre de les diriger vers la section du magasin qui les intéresse le plus. Si le client souhaite plutôt visiter à sa guise, elle fait signe aux vendeurs en place d'attendre un peu avant de les aborder. Vous avez décidé d'engager un tel préposé.

Volet n° 2 : Meubli-Mart fait parvenir, à tous les quinze jours, une circulaire en couleurs à chaque famille de Saint-Louix. Vous ne disposez pas de ressources financières ou techniques suffisantes pour faire comme eux. Vous avez donc décidé de découper le logo de Meubli-Mart sur leurs propres circulaires, puis de les afficher à la grandeur de votre surface de vente. Personne ne pourra vous dire que Meubli-Mart offre de meilleurs prix, puisque vous offrez les mêmes.

Volet n° 3 : À toutes les saisons, Meubli-Mart organise un tirage et offre au vainqueur une voiture ou un voyage. Vous avez décidé d'instituer une telle pratique et, depuis, vous avez fait don d'une Neon Sport et d'un voyage en Jamaïque.

Le programme	Buts poursuivis	Effets secondaires
Préposé à l'accueil	Montrer que votre service est aussi complet que celui de Meubli-Mart	Les clients habituels ont trouvé cette pratique un peu ridicule
Circulaire bimensuelle	Montrer que vos prix sont aussi bons que ceux de Meubli-Mart	La pression sur vos marges bénéficiaires est très forte
Tirage trimestriel	Montrer que les clients n'ont rien de plus chez Meubli-Mart	Importante réduction de votre profit net

Cette stratégie devait vous permettre de limiter les dégâts et de vous permettre de conserver votre clientèle, mais elle a eu plusieurs effets secondaires.

Vos clients habituels ont trouvé votre transformation en «Mini-Meubli-Mart» un peu ridicule. Plus souvent qu'autrement, ils souriaient quand votre préposé essayait de les guider. Après tout, vous ne disposez que d'un magasin de 30 000 pieds carrés, et un simple coup d'œil permet de savoir où se trouvent les principaux rayons.

Quant à la circulaire, elle présentait souvent des compagnies avec qui vous ne faites pas affaire régulièrement et qui ne vous garantissent pas de bons escomptes sur achat ou de ristournes annuelles. Ce volet, comme celui du tirage, faisait fondre votre marge bénéficiaire comme neige au soleil. (Meubli-Mart dispose d'une soixantaine de succursales, et le coût des tirages est réparti entre toutes ces succursales.) À long terme, ce n'est pas Meubli-Mart, mais bien votre propre stratégie qui aura raison de vous.

Finalement, ceux qui étaient habitués de faire affaire chez vous et qui choisissaient votre établissement pour son ambiance familiale se sont retrouvés dans un commerce plus impersonnel qui, sans en donner tous les avantages, présentait les aspects les plus superficiels de votre principal concurrent. En d'autres mots, vous avez choisi de démontrer, à toute votre clientèle, que vous pouviez égaler Meubli-Mart au lieu de faire valoir ce qui vous distinguait.

*

* *

Votre histoire se termine ici. Vous avez renié votre propre identité et, ce faisant, vous avez rompu le lien qui vous aurait différencié de votre compétiteur. Votre commerce est différent de Meubli-Mart, et vous ne réussirez pas à l'imiter en quelques mois. Vous auriez dû exploiter vos forces plutôt que d'étaler vos faiblesses au grand jour. À jouer à la grenouille qui veut se faire

plus grosse que le bœuf, on finit un jour par exploser. Remontez donc dans le temps et rendez-vous au chapitre 5, 4 ou 1, puis reprenez l'aventure. Votre commerce ne doit pas mourir.

Sur le pied de guerre

Tous les vendeurs sont restés après la journée de travail, et la plupart ont réagi en disant qu'il était grand temps de faire quelque chose. Ils sont là, tous les six. Gilles est également présent, fumant cigarette sur cigarette en attendant le début de la réunion.

Il n'y a pas d'ordre du jour. Il n'y a pas de président d'assemblée ni de secrétaire. Il n'y a qu'un groupe d'individus incertains en quête d'une solution pour les sortir d'une situation qu'ils subissent sans avoir contribué à la créer. Vous lancez le débat : «Mes amis, nous sommes en guerre. Et notre adversaire est coriace. Le temps est venu de sortir notre artillerie, et c'est la raison de cette rencontre. Que devons-nous faire pour nous remettre dans la course? Je suis fatigué de sentir le découragement chaque fois que j'entre dans le commerce. Quelqu'un a-t-il une idée?

— Je n'ai pas d'idée, mais il est temps qu'on fasse quelque chose. Mon salaire a chuté du quart. Je ne pourrai pas continuer indéfiniment...

— Une chance que Guy est parti. Ça nous fait plus de clients. Imagine si nous étions encore sept...

— Écoutez, c'est une solution que nous cherchons. Nous ne sommes pas là pour nous décourager mutuellement. Qui a une proposition à faire?»

Danielle est la première à lever la main. «Oui, Danielle.

— Pourquoi ne pas annoncer que nous sommes prêts à garantir nos prix sur une période d'un mois? Si un consommateur trouve un meuble acheté chez nous moins cher chez un concurrent, nous lui verserons un montant équivalant à la présentation d'une publicité ou d'un estimé écrit.

— Oui, mais n'est-ce pas une façon de les encourager à continuer de magasiner après leur achat? Je ne crois pas que ce soit la meilleure solution.

— Eh bien, as-tu une meilleure idée, Patrick?

— Nous n'avons pas de problème avec ceux qui ne viennent que chez nous. Pourquoi les encourager à aller voir ailleurs? Concentrons-nous sur ceux qui viennent nous voir après être passés chez Meubli-Mart. Pourquoi ne pas annoncer que nous réduirons de 5 % n'importe quel prix offert par l'un de nos concurrents. De cette façon, nous serions assurés d'offrir les meilleurs prix, et certains clients cesseraient de faire des aller-retour pour nous inciter à baisser nos prix davantage.»

Lorrain est d'accord. «Ça a du bon sens. Et ça les mêlerait. Rappelez-vous que Guy fait maintenant partie de leur équipe, et qu'il connaît notre façon de compter. En changeant notre façon de jouer, ils perdent cet avantage.»

Sans être contre la proposition, elle vous laisse quand même mal à l'aise. Vous décidez d'intervenir. «Écoutez, il faut tout de même évaluer ce qu'une telle décision peut engendrer comme conséquences en ce qui concerne la rentabilité du magasin. Il faut tout de même qu'il reste de l'argent pour payer vos salaires! Je ne dis pas non, mais il faudrait étudier la question avant de prendre une décision définitive.

— Ce n'est pas en reportant les décisions qu'on va s'aider, affirme Patrick. Nous devrions l'avoir appris. Je ne vois pas ce qu'on pourrait faire d'autre. La proposition de Danielle est bien gentille, mais je ne vois pas pourquoi nous dirions aux clients de continuer à magasiner après avoir acheté.

— Vous ne comprenez pas! Ma suggestion vise à conserver nos clients actuels. Vous n'en avez pas assez de cette hémorragie? Notre but n'est pas d'empêcher les autres de vendre, mais de continuer à vendre comme avant. Nous devons nous concentrer sur notre entreprise et non sur Meubli-Mart.»

Gilles se lève et, par un geste des bras, impose le silence. «J'aurais peut-être une suggestion qui fera la joie de tout le monde.

— Vas-y! Parle! Ne nous fais pas attendre! affirmez-vous.

— Nous pourrions faire imprimer une autre série de livrets de factures et ne pas la comptabiliser. De cette façon, nous empocherions la TPS et la TVQ sur la moitié de nos ventes. Ça n'est pas grave de donner 5 % d'escompte si nous empochons 13,5 % de taxes. Grâce à la vente au noir, nous restons compétitifs sans sacrifier notre marge de profit.

— C'est bon ça! Mais que se passera-t-il si nous nous faisons prendre?

— Ouais. Et comment va réagir le système informatique si nous lui présentons deux factures portant le même numéro?» ajoute Daniel.

La conversation se continue, et vous promettez de faire part de votre décision dès le lendemain matin. En partant, vous vous rendez compte que ce n'est plus du découragement que vous pouvez lire sur leur visage; c'est de l'espoir.

*

* *

Qu'allez-vous décider?

• **Si vous choisissez de vendre au noir, passez au chapitre 35.**

• **Si vous choisissez de garantir les prix pendant 30 jours, passez au chapitre 36.**

• **Si vous décidez d'annoncer une offre selon laquelle vous battrez de 5 % les prix de tous vos concurrents, passez au chapitre 37.**

Les vases communicants

Tout se déroulait bien jusqu'en janvier. Quand un vendeur voulait conclure une vente en baissant son prix, il contactait votre gérant des ventes et, après l'accord de ce dernier, utilisait le second livret de factures. De cette façon, tout le monde était content : le client s'en tirait avec un bon prix, le vendeur touchait sa commission et votre véritable chiffre d'affaires tenait le coup par rapport à l'année précédente.

Mais en ce 3 janvier, Julie vous fait signe de vous approcher et vous dit que Beauregard est en ligne, qu'il souhaite vous parler. Comme vous avez toujours entretenu des relations très cordiales avec votre directeur de crédit, vous vous êtes dit qu'il appelait pour vous communiquer ses vœux du jour de l'An, et c'est le cœur léger que vous avez décroché le combiné : «Oui allô!

— Oui, bonjour. C'est Léon Beauregard, ça va bien?

— Absolument. Les ventes des Fêtes ont été excellentes, et nous prévoyons une année du tonnerre. Que puis-je faire pour vous?

— Je suis content que ça aille si bien parce que chez nous, voyez-vous, ça ne va pas du tout. Je me vois contraint de refuser le paiement d'un chèque que vous avez fait à Meubles populaires.

— Mais ça n'a pas de bon sens! Pourquoi faites-vous cela?

— Vous avez manqué de fonds à la fin de la semaine dernière. J'ai décidé de laisser passer le Nouvel An en me disant que vous passeriez faire un dépôt. Mais celui de ce matin était insuffisant, et je dois maintenant faire ce que dicte le règlement. J'ai vraiment fait le maximum.

— Écoute, Léon. Ne retourne pas le chèque. Je pourrais passer cet après-midi pour tout régler. Il y a malentendu. Est-ce possible de m'attendre?

— C'est justement pour cela que j'appelais. Je n'aime pas retourner le chèque d'un bon client. La succursale ne ferme pas avant 15 h.

— Merci beaucoup. J'apprécie.»

*

*   *

Encore surpris par la conversation que vous venez d'avoir, vous demandez à Julie de vous suivre dans votre bureau. Ce ne sont pas des pensées de faillite ou d'humiliation qui vous assaillent : vous avez, au cours des derniers mois, accumulé amplement d'argent dans votre petite caisse, mais comment ferez-vous pour payer les comptes payables des prochains mois?

Julie parle la première : «Que se passe-t-il?

— Nous manquons d'argent à la banque. Les chèques ne passent plus.

— Oui. C'était à prévoir. La moitié de nos ventes des Fêtes n'ont pas été déclarées, mais il faut quand même payer les fournisseurs. Et l'argent qui aurait servi à les payer, nous ne l'avons pas déposé. Les entrées et les sorties de fonds sont des vases communicants.

— Je dois prendre une trentaine de mille dans la petite caisse et passer à la banque cet après-midi. Comment dois-je procéder?

— Nous devrons, si nous ne voulons pas avoir de problèmes, advenant une éventuelle visite d'un inspecteur fiscal, reprendre quelques factures faites au noir et les recopier dans des carnets de factures officielles. De cette façon, nous pourrons justifier le dépôt.»

— Mais les meubles ont été livrés il y a quelques mois?

— Nous pourrons dire qu'il s'agissait de meubles en consignation, et que nous avons procédé à la facturation. Rien ne nous empêche de prendre des ventes faites récemment. De toute façon, nous devrons être en mesure de justifier le dépôt.

— Et les taxes. En agissant de la sorte, nous devrons envoyer les taxes à Ottawa et à Québec. Dans les faits, notre marge bénéficiaire sur ces ventes sera presque nulle quand je sortirai de la banque. C'est terrible.

— C'est le mieux que nous puissions faire, à moins de payer quelques fournisseurs en argent, puis d'annuler les factures.

— Nous aurions dû y penser la semaine dernière, mais avec le changement d'année financière, aucun fournisseur ne voudra accepter un tel marché. Nous n'avons pas le choix. Je vais préparer la somme. Occupe-toi des livres de factures.

— Très bien.»

*

*   *

Deux heures plus tard, vous vous présentez à la banque. Une fois le dépôt consigné, vous discutez un instant avec Beauregard. Il vous semble plus distant et vous demande comment vont les affaires. Tant bien que mal, vous réussissez à le convaincre que l'année sera excellente. Vous quittez la succursale épuisé.

Mais une autre surprise vous attend au tournant : quand vous présenterez vos états financiers, vos dépenses ne seront appliquées que sur la partie des ventes que vous aurez déclarées, ce qui réduira considérablement vos profits de l'année qui vient tout juste de se terminer. Espérons que vous n'aurez pas à renouveler un emprunt cette année. Vous représentez maintenant un risque considérable.

*
* *

Votre histoire se termine ici. Peut-être passerez-vous à travers cette crise, peut-être pas. Retournez vite au chapitre 1, 4, 5 ou 34 et reprenez l'aventure. Cette incapacité à faire face à Meubli-Mart ne serait-elle qu'un symptôme? Pensez-y!

36

Un client vorace

On ne peut pas demander à un employé de travailler sept jours sur sept. Chacun a droit à ses deux jours de répit par semaine et, quand votre gérant des ventes est absent, c'est vous qui le remplacez sur la surface de vente. Vous aidez alors vos vendeurs à conclure leurs ventes, discutant avec les clients, calculant les meilleurs prix, jouant le rôle du patron qui souhaite à tout prix conserver un bon client. C'est ce que vous êtes justement en train de faire en ce vendredi soir : Patrick s'affaire depuis plus d'une heure à convaincre un couple qui souhaite maintenant s'en aller, pour «prendre leurs mesures», a dit le mari. (C'est l'excuse classique du client qui souhaite aller voir ailleurs.) Vous ne souhaitez pas le voir quitter sans facture.

«Bon, je comprends que vous ayez besoin de mesurer votre chambre, mais pourquoi ne pas réserver le mobilier tout de suite. De cette façon, vous n'aurez qu'à nous appeler pour confirmer. Sinon, nous annulons la réservation. C'est tout.

— Non. Si on remplit des papiers, on sera ensuite obligés de l'acheter. Je ne suis pas né de la dernière pluie, vous savez.»

Patrick intervient : «Mais ici, ce n'est pas comme ça. Supposez que vous achetiez le mobilier et que nous vous le livrions la semaine prochaine. Si, dans les trente jours suivant la livraison, vous trouvez le même mobilier à un meilleur prix ailleurs, nous vous remboursons la différence. Vous ne pouvez pas perdre.

— Est-ce que cela veut dire que vous ne m'avez pas donné le meilleur prix? Vous avez dit, tout à l'heure, que vous aviez calculé trois fois et que vous ne pouviez pas descendre d'un seul dollar. Qu'est-ce que ça veut dire?»

Ce n'est pas la première fois qu'un client vous fait cette remarque, et vous avez une réponse toute prête à offrir : «Nous vous avons vraiment fait notre meilleur prix. Mais nous vous protégeons. Si, par exemple, le fabricant fait une promotion au cours du prochain mois, nous vous garantissons que vous en bénéficierez.

— Mais vous ne m'appellerez pas. Si je veux en bénéficier, je dois continuer à me promener dans les magasins et à négocier des aubaines pour le mobilier que je viens d'acheter.

— Nous ne pouvons pas appeler tout le monde.

— Bon. Mais je préfère m'en assurer avant la livraison plutôt qu'après. Il n'est pas dit que nous ne nous reverrons pas, mais il est hors de question que je signe quoi que ce soit aujourd'hui.

— C'est comme vous voulez. Je souhaitais seulement vous protéger au cas où les mobiliers seraient tous vendus quand vous aurez pris votre décision. Nous attendrons jusqu'à ce que vous ayez mesuré l'espace dont vous disposez. Ce sera alors un plaisir de vous servir.

— C'est cela. Merci.»

*
* *

Après leur départ, Patrick se tourne vers vous. «Il y a quelque chose qui cloche. C'est vrai ce qu'il dit. Nous les envoyons se promener chez nos concurrents. Certains le font, mais ce n'est pas grave. Nous savons que nos prix sont bons. Ce qui est grave, c'est qu'ils partent d'ici en croyant que nous n'avons pas fait tout ce que nous pouvons pour eux et que, s'ils souhaitent le meilleur prix, ils doivent continuer à se promener de magasin en magasin. Nous avons de bons prix, mais nous laissons entendre qu'il en existe de meilleurs ailleurs. Il y a une faille dans notre façon de travailler. Je ne crois pas que l'on pourra continuer ainsi bien longtemps.

— Qu'as-tu écrit sur la carte que tu lui as remise?

— Ne t'en fais pas pour ça. J'ai mis n'importe quoi. Ils n'ont même pas le nom du fabricant. Mais s'ils voient le mobilier chez un concurrent, et ce, au même prix qu'ici, pourquoi reviendraient-ils le facturer chez nous?

— Je sais. Nous nous sommes trompés quelque part. Je vais réévaluer nos politiques en fin de semaine. Nous ne devons pas envoyer les clients ailleurs. Comment avons-nous pu nous attaquer ainsi à Meubli-Mart sans nous questionner sur les répercussions de nos décisions?

*

* *

Parlons un peu de dissonance cognitive. C'est un terme utilisé par les experts en marketing pour expliquer un comportement très normal : quand un client quitte votre commerce, il commence par se demander s'il a fait un bon choix. Si vous avez terminé la rencontre en lui serrant la main et en le félicitant de son achat, vous l'aidez à passer à travers cette phase sans qu'il ne se pose trop de questions.

Mais si vous lui laissez entendre qu'il aurait peut-être trouvé un meilleur prix ailleurs ou si votre vendeur court se cacher dès que la facture est signée, vous entretenez un climat d'incertitude qui fera douter le client de la pertinence de son achat. Et un client qui n'a pas su trouver

173

chez vous une réponse à ses doutes ira la chercher ailleurs la prochaine fois. C'est le contraire de la fidélisation.

En n'aidant pas les clients à croire qu'ils ont fait un bon achat, vous contribuez à augmenter la dissonance cognitive et le sentiment, pas toujours conscient, de s'être fait berner.

*

*   *

Votre histoire se termine ici. Vous n'avez pas su vous attaquer aux bons problèmes. Remontez vite dans le temps et retournez au chapitre 1, 4, 5 ou 34. D'autres finales, bien plus agréables que celle-ci, se trouvent ailleurs. Votre apprentissage n'est pas terminé.

37

L'effet boomerang

Quand Danielle est entrée dans votre bureau, suivie de votre gérant des ventes, vous saviez que ça recommençait. Depuis la semaine dernière, pas une journée ne s'est écoulée sans que l'on vous mène la vie dure. «Que se passe-t-il encore?

— Une cliente souhaite un remboursement. C'est invraisemblable.

— Qu'a-t-elle acheté?

— Une cuisinière, la WP-345 blanche avec dessus en céramique, j'ai diminué son prix de 10 %. Elle m'arrive aujourd'hui avec un estimé écrit correspondant à notre prix coûtant.»

Votre gérant des ventes en rajoute : «C'est exactement notre prix coûtant. J'ai vérifié.

— Et qui nous fait ce beau cadeau? Meubli-Mart, je suppose.

— Non, c'est Ameublements Tremblay. Tenez, voici la carte de leur vendeur. Le prix est indiqué à la main.

— Tremblay? Nous avait-il fait le coup auparavant?

— Non. C'est la première fois, mais quelque chose me dit que ce ne sera pas la dernière. Ils prennent un malin plaisir, quand ils savent que les clients ont acheté de toute façon, à proposer des prix qu'ils ne consentiraient jamais en d'autres circonstances. J'ai l'impression que notre publicité n'a pas plu à tout le monde.

— C'est ce que je pense aussi.

— Oui, mais qu'est-ce que je fais avec ma cliente? Il faut écrire une note, sinon Julie ne voudra pas émettre le chèque de remboursement.

— Ouais... Je te l'écris tout de suite.»

Dès que Danielle est partie, Gilles se tourne vers vous. «C'est un véritable effet boomerang. Nos compétiteurs souhaitent que notre publicité nous vole au visage.

— Sais-tu ce que nous allons faire?»

*

*   *

Depuis un mois déjà, vos publicités annonçaient que vous étiez prêt à battre de 5 % les prix de n'importe lequel de vos compétiteurs. Les clients n'avaient qu'à se présenter avec un estimé écrit ou la publicité du concurrent et vous réduisiez de 5 % le prix consenti par ce dernier. Cette politique s'appliquait également, selon votre publicité, sur une période de 30 jours suivant un achat chez vous. C'est là que l'effet boomerang se faisait le plus sentir.

Vos compétiteurs ne se gênaient pas du tout pour court-circuiter vos efforts et vous faire payer chèrement cette nouvelle politique. («Ah oui! Vous l'avez payé si cher! Chez nous, nous vous l'offrons à seulement... Tenez, je vous rédige un estimé. Présentez-le chez votre marchand, et il vous remboursera la différence, plus 5 %.»)

Mais ce n'était pas le seul effet négatif d'une telle publicité. Il vous semblait qu'elle avait fait fuir vos clients réguliers, ceux que le commerce avait fidélisés au fil des ans. Vous vous retrouvez maintenant avec des clients pour qui la qualité du produit et le service après-vente ne veulent rien dire. Ces gens ne juraient que par le prix, et ils n'hésitaient pas à partir à la recherche d'une meilleure aubaine, même s'ils étaient satisfaits de leur achat.

*
* *

« Non. Nous allons faire quoi?

— Rétablir l'équilibre.

— Rétablir l'équilibre? Je ne comprends pas.

— En annonçant cette politique, c'est comme si nous avions modifié les règles du jeu. Des marchands avec qui on vivait récemment en harmonie nous tirent maintenant dans les genoux. J'ai l'impression que nous sommes allés un peu trop loin.

— Oui. Peut-être que nous n'aurions pas dû annoncer cette politique, car ils nous le font payer.

— Et nous n'aurons pas les moyens de payer comme ça très longtemps. Livrer une cuisinière, s'occuper du service, sourire à la cliente, tout en perdant 5 %, ça se fait une ou deux fois mais à la longue, ça peut poser un problème.

— Il est encore temps d'annuler notre publicité de la semaine prochaine. Je pourrais appeler tout de suite.

— C'est cela. Annule tout. Et tant qu'à y être, retire ces banderoles de la vitrine et demande aux autres d'entrer plus tôt demain matin. Nous leur expliquerons...»

*
* *

Une fois seul, vous vous demandez quelle autre décision s'est révélée aussi néfaste. Où vous êtes-vous trompé pour

vous enfoncer dans des décisions qui non seulement semblent vous couper de votre clientèle régulière, mais qui
minent sérieusement vos chances de survie. Pourquoi vous
êtes-vous lancé dans une guerre de prix avec tout le monde,
alors que vous aurez besoin de toutes vos ressources financières pour faire face à Meubli-Mart?

*
*   *

**Votre histoire se termine ici. Vous n'avez pas su
déterminer comment faire face à Meubli-Mart et vous
êtes toujours dans l'incertitude. De plus, il semble
qu'une partie de votre clientèle ait été déçue de votre
réaction. Le moment est venu de remonter dans le
temps et de retourner au chapitre 1, 4, 5 ou 34. Il
n'est pas trop tard pour changer le cours de l'histoire
et montrer que, face à Goliath, vous faites le poids.**

38

Des membres exigeants

Le client est arrivé il y a cinq minutes et a demandé à voir Patrick, son vendeur. Ce dernier lui montre quelques minutes plus tard où se trouve la comptabilité. Dix minutes après son arrivée, il se retrouve dans votre bureau. C'est le deuxième aujourd'hui. Il y en a eu quatre hier, et ça ne semble pas sur le point de s'arrêter.

«Que puis-je faire pour vous?

— Le mois dernier, j'ai acheté un mobilier de chambre et il n'est pas arrivé.

— Si vous le souhaitez, je peux communiquer avec le fabricant et lui demander ce qui se passe. Nous verrons alors...

— Non. Ce n'est pas ça. Mon vendeur m'avait prévenu que ça prendrait de six à huit semaines. Personne n'est en retard.

— Dans ce cas, quel est le problème?

— J'ai reçu ma carte de membre par la poste hier et je veux que mon escompte supplémentaire de 5 % s'applique sur cet achat. Mais votre vendeur ne veut pas, et la comptable m'a dit de passer vous voir.

— Lors de l'achat, cette carte n'était pas en vigueur. Je ne peux donc pas vous accorder l'escompte.

— Nous n'avons qu'à annuler cette facture et en faire une autre. Vous pourrez alors me donner mon escompte.

— Écoutez, mon cher monsieur, s'il fallait que j'accorde l'escompte à tous ceux qui ont acheté chez nous et qui n'ont pas encore reçu leur marchandise, cela coûterait une fortune.

— Je m'en fous, moi. Vous m'écrivez en disant que vous êtes fier de m'avoir comme client et que dorénavant, j'aurai droit à 5 % de rabais parce que j'achète régulièrement chez vous. Y ai-je droit, oui ou non? Si c'est pour rire de moi, vous auriez pu laisser faire.

— Bon, écoutez, je vous accorde cet escompte. Nous allons passer à la comptabilité et ils vont vous arranger ça. Je comprends votre point de vue.

— Ce n'est pas trop tôt.»

*

*   *

Patrick arrive en trombe dans votre bureau : «On me dit que je vais perdre mes commissions sur les 5 % que vous enlevez sur mes anciennes factures. Est-ce vrai?

— Oui. C'est ce que nous faisons quand il y a ajustement.

— Mais cette fois, l'ajustement, il n'est pas de ma faute. C'est vous qui avez eu cette idée de carte de membre, et je ne vois pas pourquoi c'est moi qui paierais.

— Mais tu n'es pas le seul à payer. Nous en faisons tous les frais. Et ça va t'aider à vendre plus. Ne l'oublie pas.

— En partant, mon client m'a traité de menteur. Je lui avais garanti, lors de son achat, qu'il bénéficiait du meilleur prix possible. Un mois plus tard, on lui dit qu'il nous restait une marge de manœuvre de 5 %. Pensez-vous qu'il va revenir un jour ici?

— Oui. Nous lui avons donné son 5 %, et il va revenir.

— J'ai conclu une vente tout à l'heure. La cliente n'était jamais venue dans le magasin, mais elle était accompagnée d'une ancienne cliente qui a reçu sa carte. Devinez à quel nom ils ont fait faire la facture? Autant donner la carte à tout le monde.

— Je suis bien conscient que nous avons quelques problèmes. Et si tu as une solution à proposer, fais-le. Mais ce n'est pas en pleurnichant que nous avancerons.

— Je vais vous en faire une proposition : oublier tout le programme. Dites aux gens que c'est une farce et oubliez l'idée. C'est le mieux que l'on peut faire.

— De mon côté, je vais également te donner un conseil. Retourne dans le magasin et conclus des ventes. C'est pour ça que tu es payé. Laisse à d'autres le soin de décider ce qui est bon ou non pour l'avenir de l'entreprise.»

Jusqu'ici, la semaine est infernale, et vous réalisez qu'une formule qui a du succès dans un secteur d'activité n'est pas nécessairement transposable ailleurs. Chez Disques et Rubans Saint-Louix, le produit est étiqueté, et les gens ne marchandent pas. Chez vous, c'est le contraire. Comment expliquer à votre client qu'il a négocié le meilleur prix si vous lui offrez par la suite un escompte supplémentaire? Vous passerez à tous coups pour des menteurs.

Cela ne veut pas dire que cette idée de carte de membre n'était pas bonne, mais elle aurait dû être conçue de façon à éviter ce conflit causé par la nature même de vos relations avec la clientèle. Tous adorent dire qu'ils ont payé le moins cher possible. Comment réagiront-ils s'ils apprennent que des privilégiés auraient pu, simplement en mettant la facture à leur nom, leur faire économiser 5 % de plus? S'ils sont suffisamment frustrés, ils achèteront chez vos compétiteurs la prochaine fois.

*

*   *

Votre histoire se termine ici. Vous avez oublié que lorsque l'on instaure une nouvelle politique, il faut en prévoir les faiblesses et décider à l'avance comment vous les surmonterez. S'il faut que vous donniez, faites-le en souriant; vous venez de perdre un client, et votre vendeur ne conclura probablement plus de vente aujourd'hui. Vous n'auriez jamais dû laisser tout cela se produire. Remontez vite dans le temps et retournez au chapitre 1, 4, 6, 18 ou 20. Vous n'avez même pas besoin de Meubli-Mart pour perdre votre clientèle.

39

Comme le dit le dicton...

Un problème bien défini est à moitié résolu. Force est d'avouer, en cette fin d'août, que votre liquidation d'inventaire excédentaire a été un succès. Il faut dire que vous vous y êtes pris de la bonne façon.

Dans un premier temps, vous avez fait le tour du magasin et des entrepôts. Sur chaque article, vous apposiez une pastille verte, jaune ou rouge, selon la catégorie auquelle appartient le produit, soit bon vendeur, moyen vendeur ou désuet. Cet exercice vous a permis de constater que le cinquième de votre inventaire était désuet. Au prix coûtant, cela représentait plus de 180 000 $ en stock mort!

Dans un deuxième temps, vous avez rencontré tout le personnel. Il fallait, leur avez-vous expliqué, se débarrasser de ces stocks morts avant l'ouverture de Meubli-Mart. Vous vous engagiez à leur verser, d'ici la mi-août, le quart de tous les profits bruts réalisés sur ces produits pendant la période de réduction d'inventaire. Si tout l'inventaire était vendu, l'ensemble du personnel se partagerait plus de 10 000 $.

Finalement, vous avez fait imprimé de nouvelles étiquettes arborant votre logo et vous avez réétiqueté les meubles à leur véritable valeur de réalisation. De cette façon, même les clients faisaient de bonnes affaires en achetant des produits qui n'étaient plus tout à fait à la mode. C'est alors que vous avez annoncé votre vente ÉTI-QUETTES ROUGES.

Cette vente, qui mettait l'accent sur la liquidation des inventaires excédentaires, a attiré une foule de chercheurs d'aubaines et, dès la fin de juillet, la majeure partie de vos étiquettes rouges étaient disparues. Vous avez alors réétiqueté une partie des meubles étiquetés en jaune pour pouvoir terminer votre vente à rabais. Ce fut un succès.

*

*　　*

C'est un samedi soir de fête dans votre magasin. Vous venez en effet de remettre un boni de 526 $ à chaque employé et vous avez profité de l'occasion pour décréter une soirée de festivité. À moins d'un kilomètre, l'immeuble de Meubli-Mart est terminé, et tous s'affairent à préparer l'ouverture. Guy Saint-Amant, un de vos vendeurs, s'est fait engager par votre ennemi n° 1 la semaine dernière, mais cela ne nuit pas trop à l'ambiance.

Vous songez au travail des derniers mois et vous n'arrivez pas à chasser un malaise qui vous ronge depuis quelques semaines. Vous en ignorez l'origine, mais il gâche une partie du plaisir que vous devriez vivre ce soir.

Julie doit s'en être aperçue puisqu'elle s'approche de vous : «Que se passe-t-il? La musique n'est pas à votre goût?

— Ce n'est pas ça. Malgré le succès de notre vente, je n'arrive pas à chasser ma nervosité. J'ai bien hâte de voir l'ouverture de Meubli-Mart de quoi cet ennemi est capable. C'est l'attente qui me tracasse.

— Je ressens la même chose. La vente nous a permis de ramener notre marge de crédit à zéro et, pour la première fois en un an, notre solde bancaire est positif, mais j'ai également l'impression que nous avons fait fausse route.

184

— Fausse route?

— Oui. La liquidation est maintenant terminée. Mais pour faire face à Meubli-Mart, nous aurions peut-être dû développer de nouvelles approches. Chose certaine, nous étions bien trop occupés pour le faire au cours des dernières semaines. Nous aurions peut-être dû planifier une campagne de marketing pour cet automne, mais nous n'avons rien fait.

— Nous avons tout de même assaini notre bilan. Ce n'est pas négligeable.

— Je suis d'accord. Mais ce n'est pas une réponse à l'invasion prochaine. Cela aurait dû être fait bien avant. C'était un vieux problème que nous traînions depuis des années.»

Un déclic se produit en vous. Vous réalisez soudainement que ce que vient d'énoncer votre commis comptable, c'est exactement ce qui vous agace depuis quelques semaines. C'est comme si vous vous étiez lancé dans cette liquidation d'inventaire pour ne pas avoir à penser au combat qui se prépare. C'est comme si David était allé aux pommes au lieu de ramasser des cailloux. «Nous sommes beaucoup plus solides, financièrement parlant.

— Mais les clients s'en foutent. C'est ça le problème. Ce n'est pas là-dessus qu'ils se basent pour choisir leur marchand.»

*
* *

Comme le dit le dicton : «Un problème bien défini est à moitié résolu.» Votre problème, c'est l'arrivée de Meubli-Mart, et vous y avez répondu en vous attaquant à vos problèmes d'inventaire. Cette opération a été un succès et elle fait aujourd'hui en sorte que vous ne présentez que des nouveautés à vos clients; mais avez-vous amélioré votre capacité concurrentielle? Êtes-vous davantage en mesure de faire face à Meubli-Mart?

*

*   *

Votre histoire se termine ici. Si vous avez trouvé une excellente solution à un problème existant, vous n'en avez pas moins oublié de vous préparer à l'arrivée de Meubli-Mart. Vous n'avez pas changé vos façons de faire, vous n'avez pas fidélisé votre clientèle et, à la limite, si Meubli-Mart a la puissance attendue, cette liquidation vous permettra de résister quelques semaines de plus. N'hésitez pas. Remontez vite dans le temps et retournez aux chapitres 1, 4 ou 6. Une autre aventure vous y attend.

40

On va leur montrer!

La foule est nombreuse, et déjà les voitures qui continuent à arriver doivent se stationner dans la rue, parce que votre stationnement est plein. Nous sommes à la fin d'août, à quelques jours de l'ouverture de Meubli-Mart, mais, en ce début de soirée, c'est vous qui occupez l'avant-scène du meuble à Saint-Louix.

Vous êtes sur le point de débuter la cérémonie. Elle sera brève : vous parlerez quelques minutes, puis ce sera le tour du maire Forcier et de M. Benoît Simoneau, un important industriel de la région. Monsieur Forcier doit parler du dynamisme de votre commerce, tandis que M. Simoneau parlera de l'importance d'encourager l'achat chez soi. Par la suite, il y aura coupure de ruban, et tout le monde sera invité à visiter vos nouvelles installations.

Vous êtes fier. Des boissons et un buffet léger attendent tous vos invités, et votre surface de vente est resplendissante. Tout votre personnel, habillé pour la grande occasion, est réparti à la grandeur du magasin et s'apprête à recevoir les invités. Des clowns ont déjà commencé, avant la cérémonie, à distribuer aux enfants des ballons arborant votre logo. Il règne une ambiance de fête.

Alors que vous vous apprêtez à monter sur la petite scène aménagée pour l'occasion, vous vous rappelez ce qui s'est passé au cours des cinq derniers mois.

*
* *

Votre visite chez Meubli-Mart a été très utile. Vous y avez obtenu beaucoup d'information et vous avez commencé à ne plus considérer ce futur adversaire comme un archétype de la destruction commerciale annonçant votre disparition assurée et imminente. Du coup, Meubli-Mart perdait le statut de symbole. Vous vous sentiez maintenant capable de lui faire face et, en décidant de rénover votre surface de vente, vous comptiez simplement utiliser à bon escient l'information obtenue chez votre concurrent. Mais vous en avez obtenu bien davantage. Nous pouvons même tirer trois leçons de cette décision prise à la fin de mars.

1. Une vente à rabais, c'est une fête

Cette décision vous a permis de mettre sur pied, dès le début avril, un solde avant la rénovation. Vous aviez disposé des échafaudages près d'un mur abattu pour la circonstance. Vous avez distribué des communiqués de presse et, pour ajouter à la fête, vous avez offert, à chaque client qui entrait, un casque de construction arborant le nom de votre commerce. L'ambiance ainsi créée a favorisé le succès de ce solde qui a fracassé tous les records.

Vous vous êtes bien promis que vous aviez fini d'annoncer pour annoncer. Dorénavant, chaque campagne comprendra un thème qui se traduira par des promotions sur la surface de vente. Les clients vous ont bien fait sentir que le magasinage doit être une fête.

2. La fierté

Si le succès de ce solde a eu un excellent effet sur le moral de votre personnel, ce n'est pas le seul facteur à l'origine de leur soudaine fierté. Vous avez su les engager dans le projet de rénovation, demandant leur opinion et écoutant ce qu'ils avaient à dire. Mobilisés de cette façon, ils ont cessé de penser à Meubli-Mart et ont pris conscience que le magasin qu'ils représentaient offrirait bientôt la plus belle surface de vente de la région. Or, un vendeur fier de lui et de son magasin est plus efficace encore.

3. La fidélisation

Quand est venu le temps d'inaugurer la nouvelle surface de vente, vous avez un instant songé à utiliser le journal pour inviter toute la population aux festivités, puis vous vous êtes ravisé, vous disant que cette fête devait tout d'abord être celle de votre clientèle, que les autres pourraient toujours être tenus au courant par les reportages des médias. De toute façon, compte tenu de l'importance de vos dépenses publicitaires dans les médias locaux, ces derniers se sentiraient obligés de couvrir l'inauguration.

Vous avez alors décidé d'expédier une lettre personnelle d'invitation à tous les clients qui avaient acheté quelque chose chez vous au cours de la dernière année. Le succès a été immédiat. Certains ont même appelé pour vous remercier de l'invitation et vous assurer qu'ils allaient être présents. C'est le début d'un programme de fidélisation qui devrait se poursuivre dans les prochains mois. Il faut que ces gens en viennent à se sentir tellement proches de votre organisation qu'ils se sentiraient coupables d'acheter ailleurs.

Justement, ces gens vous regardent présentement. Votre regard survole lentement les visages souriants qui vous font face. Les prochains mois ne seront pas nécessairement faciles, mais vous avez déjà posé les bases d'une résistance farouche à l'envahisseur. Vous débutez votre discours...

*

* *

Bravo! À supposer que Meubli-Mart ait le succès escompté, vous êtes très bien placé pour devenir le

numéro 2 de la région. Les autres marchands n'ont pas suivi votre parcours et semblent avoir décidé d'attendre avant de bouger. Cette attitude pourrait leur coûter de nombreuses parts de marché.

Vos chances de survie sont donc excellentes. Les trois leçons que vous avez tirées de vos décisions sont très importantes. Vous avez appris à créer un événement, à mobiliser vos vendeurs et à fidéliser votre clientèle. Mais il y aurait eu moyen de faire mieux. Pourquoi ne pas remonter dans le temps et retourner au chapitre 1, 4, 41 ou 16. D'autres finales, meilleures encore, vous attendent ailleurs. Mettez donc vos nouvelles connaissances à profit et reprenez votre aventure. Qui sait où cela vous mènera?

On se prépare à l'attaque

Dès le lendemain matin, vous demandez au trio de venir vous rejoindre à votre bureau. Votre choix est fait et vous avez retenu la proposition de Daniel.

«Nous allons donc nous préparer à l'attaque. Reste à savoir comment. Je demanderai à chacun de vous de m'expliquer comment on devrait s'y prendre. Quelles idées vous viennent à l'esprit. Lancez-les comme elles vous viennent. Puisque nous avons retenu ta proposition, Daniel, peux-tu nous dire comment tu t'y prendrais?»

Votre chef expéditeur se redresse et laisse son regard parcourir lentement les murs du bureau. «La première chose à faire, selon moi, c'est de visiter un Meubli-Mart pour comprendre ce qu'ils ont de si merveilleux à offrir.

— Visiter un Meubli-Mart?

— Pas seulement visiter. Il faudrait faire un achat chez eux et voir comment ça se passe pour leurs clients. Dans le fond, c'est le client qui achète. Essayons de trouver ce qui l'attire chez Meubli-Mart et comparons le tout avec ce que nous leur offrons. Nous pourrons à ce moment modifier notre façon de faire.

— C'est une bonne idée. Merci. Gilles?

— Elle sera assez simple. Nous connaissons mieux qu'eux les clients de la région. S'ils veulent nous battre, ils devront le faire en coupant les prix. Pourquoi ne pas faire un relevé de ce qu'ils ont annoncé dans leurs 20 ou leurs 30 dernières circulaires et s'assurer que nous pourrons offrir les mêmes prix au moment de leur ouverture?

— Nous n'avons pas leur pouvoir d'achat. Ce sera difficile d'offrir les mêmes prix sans mettre en péril notre rentabilité.

— Pas si nous concluons une alliance avec tous les marchands de meubles de la région.

— Que veux-tu dire?

— Si nous faisons front commun et que nous nous engageons à boycotter les compagnies qui ne nous offriront pas un aussi bon prix que ceux qu'elles consentent à Meubli-Mart, nous arriverions peut-être à acheter aux mêmes prix. Et si nous offrons les mêmes prix, ils ne peuvent pas nous faire mal.

— Mais les autres ne voudront jamais. Crois-tu que Tremblay accepterait de faire front commun avec nous? Nous sommes en compétition depuis des années.

— Cette fois, ce n'est pas pareil. Je suis persuadé qu'il redoute autant que nous l'arrivée de Meubli-Mart. Il est peut-être même déjà au courant. Face à un tel ennemi, les perspectives changent, et les ennemis d'hier peuvent facilement s'unir.

— C'est une idée. C'est sûr qu'un boycottage régional nous aiderait à faire pression sur les fournisseurs. Et toi, Julie, quelle serait ta proposition?

— Écoutez, je pars du principe que Meubli-Mart s'est déjà installé à beaucoup d'endroits et que les commerces n'ont pas tous fermé pour autant. Quelqu'un a sûrement étudié pourquoi certains ont réussi à rester ouverts, même si un géant s'est installé de l'autre côté de la rue. Il doit y avoir des trucs à utiliser si on veut rester en vie. Pourquoi ne pas bénéficier de l'expérience des autres?

— Où veux-tu en venir?

— Nous pourrions avoir recours à un consultant. Il nous dirait quoi faire.

— Mais un consultant ne connaît pas notre entreprise. Il n'est pas au fait de notre clientèle. Comment veux-tu que ses suggestions soient adaptables à notre situation?

— Notre situation a déjà été vécue par des centaines d'autres commerçants. Nous ne sommes pas si uniques que ça. Prenez le cas de l'Épicerie Ruel. Qui aurait cru qu'elle serait encore ouverte deux ans après l'arrivée de SuperG? Elle ouvre toujours ses portes tous les jours, malgré ce géant situé à 200 mètres d'eux. Ce n'est pas en restant seuls dans notre coin que nous pourrons bénéficier de l'expérience de ces personnes. Il y a sûrement des trucs à apprendre, et un consultant pourrait nous y aider.»

Gilles ne semble pas d'accord. «Voyons! Ce n'est tout de même pas un épicier qui va nous apprendre à vendre des meubles. Vous ne pensez pas qu'un front commun, pour faire pression sur les fournisseurs, constituerait la meilleure préparation?

— Voyons donc! Tu penses vraiment qu'une entente est possible avec nos concurrents? Ne rêve pas trop, mon ami.»

Sur ce, Daniel se lève. «Si je ne veux pas que les gars se tournent les pouces trop longtemps, je dois aller préparer les livraisons de l'après-midi. Laissez-moi vous dire, avant de partir, que je continue à penser que, pour se préparer, il faut connaître l'adversaire. Je reste convaincu qu'il faut aller visiter un Meubli-Mart.»

Dès son départ, la conversation reprend, mais chacun reste cantonné dans ses positions. Il est évident qu'encore une fois vous devrez trancher.

*

*   *

Qu'allez-vous décider?

• **Si vous décidez de visiter un Meubli-Mart, passez au chapitre 16.**

• **Si vous choisissez de vous entendre avec vos compétiteurs, passez au chapitre 42.**

• **Si vous souhaitez avoir recours à un consultant, passez au chapitre 43.**

42

Une coalition fragile

La première rencontre avec vos concurrents a eu lieu à la fin de mars, mais personne ne semblait intéressé par votre proposition. Par contre, à la mi-avril, après que les photographies de la première pelletée de terre ont été publiées dans le journal local, tous vous ont rappelé et se sont déclarés prêts à pactiser.

Au début de mai, la coalition était déjà en place. On a compilé les 35 dernières circulaires de Meubli-Mart et on savait maintenant quels articles étaient le plus souvent soldés. C'est sur les fabricants de ces articles que l'on exercerait des pressions. S'ils ne consentaient pas aux membres de la coalition des prix leur permettant de vendre leurs produits au même prix que Meubli-Mart, et ce, sans perdre un sou, on les boycotterait. Huit fournisseurs ont été ainsi mis au ban.

Voici. C'est l'état de la situation en ce début d'août, tandis que Vic Lefebvre, un vendeur des fauteuils Climaton, tente de vous arracher une commande.

*

* *

«Et si tu ne souhaites pas manquer ta saison d'automne, il faudrait commander dès aujourd'hui. Il faut garder à l'esprit les délais de livraison.

— C'est bien beau, mais je n'ai besoin de rien.

— Voyons, ce n'est pas possible. J'ai fait le tour de ton magasin. Il ne te reste presque rien. Que me racontes-tu là?» Vous ne bronchez pas, et il enchaîne :

«Tu as toujours été un bon client, et avant toi Lavallée achetait chez moi. As-tu des problèmes de service ou de garantie? Est-ce qu'on t'a livré des choses que tu n'avais pas commandées? J'aimerais savoir ce qui se passe.»

Vous tirez une circulaire Meubli-Mart de votre tiroir et vous la lancez sur la surface du bureau. «Regarde en première page. Le fauteuil 664-32, dans la couleur château aubergine, est annoncé à 429 $. Je le paye présentement 415 $, et je dois le garder en stock, payer mon vendeur, le livrer et garantir le service. Quel intérêt aurais-je à charger mes entrepôts avec un produit aussi peu payant? Veux-tu bien me le dire?

— Écoute, c'est facile à comprendre. C'est un *loss leader*. Et dis-toi bien que les vendeurs ont pour ordre de ne pas en vendre. Ils doivent promouvoir les autres modèles, ceux qui ne sont pas soldés. Tu ne vas pas te nuire pour ce genre de raison...

— Me nuire?

— Mais oui. S'ils annoncent mon produit, c'est que les consommateurs en veulent. Que se passera-t-il si tu dois leur dire que tu n'en as pas? Tu ne pourras pas leur vendre autre chose à la place, parce qu'ils se rendront immédiatement à un endroit où ils peuvent au moins l'essayer. Tu te fais énormément de tort en me boycottant.

— Si tu me garantissais un prix aussi bon que celui que tu accordes à Meubli-Mart, je ne te causerais aucun problème.»

Lefebvre soupire bruyamment. «Vous payez pratiquement le même prix. Crois-moi. Et de plus, si le prix n'était pas bon, crois-tu que Tremblay m'en aurait recommandé à trois reprises depuis le début de mai?»

C'est le premier coup dur qu'il vous porte depuis le début de la rencontre. «Tremblay continue à acheter? As-tu des preuves?

— Écoute. Je peux te montrer mes bons de commandes. Tu verras bien. J'espère que ce n'est pas cette idée de coalition qui continue à te trotter dans la tête, parce que laisse-moi te dire qu'il y a déjà longtemps que les autres l'ont oubliée. Quand un client demande un produit, il faut l'avoir en main. On n'y échappe pas.»

Vous ne savez pas quoi penser. Lefebvre n'a certes pas la réputation de toujours dire la vérité, mais ses arguments ont quand même une certaine allure. «Écoute. Je te demande de me rappeler demain matin. J'aurai pris une décision d'ici là. Ça te va?

— À la première heure demain matin. C'est parfait.» En vous quittant quelques minutes plus tard, il est tout sourire.

*

*　　*

Un peu plus tard, vous demandez à l'un de vos vendeurs d'appeler chez Ameublements Tremblay et de demander s'il est possible d'acheter le Climaton 664-32, dans la couleur château aubergine. Le vendeur répond qu'il n'en a plus, mais qu'il en a commandé d'autres. Vous fulminez. Vous communiquez rapidement avec un autre représentant d'une compagnie mise au ban, et il vous confirme que vos concurrents continuent à acheter comme si de rien n'était.

La coalition, si elle a tenu plus d'une semaine, semble n'exister que dans votre tête. Vous vous étiez entendu en prévision de l'ouverture de Meubli-Mart. Ce magasin n'est même pas encore ouvert, et l'accord ne tient plus. Vous ne devriez pas être surpris, après tout, les autres marchands vous font aussi concurrence, et ils n'ont pas à vous faire de cadeau.

*
* *

Votre histoire se termine ici. Les décisions que vous avez prises n'ont pas du tout renforcé votre position face à Meubli-Mart. Elles l'ont peut-être même affaiblie. Dites-vous bien qu'il n'y a pas que les prix qui importent et que le problème ne se trouve pas nécessairement à l'extérieur de votre commerce, chez vos concurrents. Remontez vite dans le temps et retournez au chapitre 1, 4 ou 41. Votre aventure n'est pas terminée.

43

Le spécialiste

C'est le grand soir. Le consultant vient de commencer sa présentation. Comprenant que vous aurez bientôt besoin de l'engagement de chacun, vous avez invité tous les employés. La rencontre se tient dans le magasin. Le rayon des meubles de salon a été disposé de façon à ce que les employés puissent écouter attentivement le consultant. Face à eux, contre le mur, le consultant a installé un écran, un ordinateur portatif, un rétroprojecteur et un acétate électronique. Les effets visuels sont renversants; à un point tel que, parfois, on en vient à ne plus écouter le consultant.

Trouver un consultant n'a pas été vraiment difficile. Comme vous n'en connaissiez pas, vous avez appelé Denis Lafleur, votre comptable, et lui avez expliqué ce que vous cherchiez. «Cessez de vous en faire, a-t-il dit, un excellent conseiller travaille ici même au bureau. Il pourrait régler vos problèmes.»

Même si vous étiez un peu surpris de trouver un spécialiste en commerce de détail dans un bureau de comptables de Saint-Louix, vous avez sauté sur l'occasion. Moyennant une somme forfaitaire de 3 000 $, le spécialiste préparerait une présentation et viendrait expliquer comment vous pourrez faire face à Meubli-Mart. Il n'a même pas fait le tour de votre commerce. Un vrai spécialiste, ça sait tout.

Il a commencé par rappeler pourquoi il avait reçu un mandat, puis a parlé de chaînes comme Wal-Mart, Toys-R-Us, Home Depot avant de traiter du cas plus spécifique de Meubli-Mart. Il a fait part des huit exigences du consommateur d'aujourd'hui (*voir l'encadré*) et termine actuellement sa présentation : «Donc, en résumé, pour survivre auprès des *category killers*, il faut se définir un créneau à valeur ajoutée et éviter l'affrontement direct. Si vous le faites, vous vous en sortirez haut la main. Je vous remercie pour votre attention.»

Les 8 exigences des consommateurs

1.	Les clients en veulent pour leur argent.
2.	Les clients aiment le choix.
3.	Les clients aiment ce qui est nouveau.
4.	Les clients aiment les magasins faciles d'accès.
5.	Les clients aiment les longues heures d'ouverture.
6.	Les clients aiment pouvoir tout acheter à la même place.
7.	Les clients n'aiment pas les ennuis (attente, politique de retour à l'avantage du marchand, articles en réclame mais pas en stock, etc.).
8.	Les clients veulent un accueil personnalisé dans un magasin propre où il est amusant de magasiner.

Source: Taylor, Don et Archer, Jeanne S., *Up against the Wal-Marts*, Amacom, New York, 1994, 258 pages.

Tout le monde applaudit, et quelques mains se lèvent. Le spécialiste fait signe à Guy, un de vos vendeurs. Ce dernier se lève et, après s'être raclé la gorge, pose sa question : «Merci. J'ai bien apprécié votre présentation, mais je vous avouerai qu'elle me laisse un peu sur mon appétit. Pourriez-vous nous dire, dans la pratique, ce que nous devons faire demain matin en entrant au travail? Vous parlez de créneau, de valeur ajoutée et d'éviter l'affrontement. Je ne sais pas ce que ça veut dire. Ma question est la suivante : Que devrons-nous faire demain matin pour nous préparer à l'ouverture de Meubli-Mart?»

À en juger par les murmures d'approbation, cette interrogation doit être partagée par l'ensemble des employés. Le spécialiste reste impassible et attend un retour au calme avant de répondre. «C'est une excellente question que vous me posez là. Je vous remercie. Malheureusement, nous n'avons pas reçu le mandat de procéder à une planification stratégique de votre organisation. C'est un processus long et exhaustif. Je ne peux pas, pour l'instant, répondre à cette question.»

Patrick se lève et réagit sans que le spécialiste ne lui ait donné la parole. «Si je comprends bien, on va partir d'ici pas plus avancés qu'en arrivant. J'ai annulé ma soirée de quilles pour venir ici, moi. Que devons-nous faire avec Meubli-Mart?

— Efforcez-vous de satisfaire vos clients. Ne faites pas de promesses que vous ne tiendrez pas. C'est tout ce que je peux dire pour l'instant.»

Moins de 20 minutes plus tard, le spécialiste a démonté son équipement et est disparu. Vous êtes abandonné face à un groupe laissé sur sa faim et vous les comprenez bien : vous ressentez la même chose. Vous vous demandez ce qui a cloché.

*

*   *

Parlons des consultants. Les dernières années ont vu leur nombre se multiplier, au fil des rationalisations et des réorganisations. Mais chacun a sa spécialité, et celui qui se déclare consultant n'aura pas nécessairement les réponses à toutes vos préoccupations. D'où l'importance de bien les choisir.

Vous auriez eu intérêt à vous adresser à votre groupement d'achat ou à votre association sectorielle (la Corporation des marchands de meubles) pour obtenir les coordonnées d'un spécialiste, non seulement du commerce de détail, mais du secteur du meuble et de l'électroménager.

Avec ces coordonnées, vous auriez pu demander quelques références et téléphoner à des marchands qui avaient déjà eu recours à ses services. Ce n'est qu'après avoir été assuré de la satisfaction d'anciens clients que vous auriez dû donner un mandat.

*

* *

Votre histoire se termine ici. Retournez vite au chapitre 1, 4 ou 41 et reprenez l'aventure. Si le spécialiste avait eu toutes les réponses, le jeu n'aurait pas été aussi amusant.

Donner sa chemise, est-ce rentable?

Après le départ de Chantal, il était hors de question de mettre un terme à la rencontre. Chacun avait son mot à dire et souhaitait aller plus loin. Après avoir décidé qu'il vaudrait mieux concentrer les énergies sur la fidélisation de la clientèle plutôt que sur un changement d'image (les autres clients, on ira les chercher plus tard), le débat s'ouvre sur les façons d'y arriver. C'est Gilles qui parle le premier. Après avoir feuilleté le document que Chantal a distribué, il pose son doigt sur un tableau : «La solution est simple. Si nous souhaitons que nos clients soient satisfaits, il faut améliorer notre système de livraison et offrir de meilleures conditions de paiement. Nous pourrions par exemple garantir la livraison dans les 4 heures et offrir 12 mois sans intérêt, comme les concurrents qui annoncent dans le journal.

— Tu oublies que les gens sont satisfaits de nos prix actuels.

— Et puis? Quel est le lien?

— Pour offrir 12 mois sans intérêt, il faudrait augmenter nos prix d'environ 12,5 % tandis que pour garantir la livraison en 4 heures, il faudrait... Daniel?

— Je serais probablement capable d'offrir un tel service avec une équipe supplémentaire. C'est près de 900 $ par semaine pour les salaires, sans compter le camion.

— Mais si nos ventes annuelles grimpent d'un million, ce n'est pas cher. Il faut penser à l'avenir. Il faut voir loin. Et imaginez le plaisir que nous aurons en magasin. Personne ne pourra nous arriver à la cheville quand viendra le temps de conclure une vente. Nous aurons tellement d'avantages. Nous serons les seuls à en offrir autant.

— Oublie cela. Nous serions les seuls parce que ce n'est ni économique ni viable de tout donner sans augmenter les prix. Et si nous offrons plus de service et augmentons les prix, les gens ne voudront plus acheter chez nous.

— Pourquoi?

— Regarde les chiffres. Seuls 45 % des répondants souhaiteraient une livraison plus flexible. Crois-tu que les autres seront contents de payer plus cher pour une amélioration qu'ils ne désirent pas?

— J'ai une idée!»

Tous les visages se tournent vers Julie qui était restée silencieuse jusqu'ici. «Pourquoi ne pas offrir ce service en quantité limitée?

— Explique-toi.

— Si nous sondons l'ensemble de nos clients, nous pourrons identifier ceux pour qui une livraison plus flexible est très importante. Nous imprimerons alors des cartes pour garantir ce privilège et nous leur expédierons ces dernières en expliquant que leur clientèle nous importe tellement que nous ferons tout pour les satisfaire. En leur offrant justement ce qu'ils ont demandé dans le sondage, je crois que nous les fidéliserons.

— Oui! Et nous pourrions peut-être reconquérir des clients perdus à cause des promesses non tenues. Daniel, sur une base limitée, pourrais-tu garantir des heures de livraison?

— Sur une base limitée, oui. Mais si jamais le programme a du succès, nous pourrions ajouter une équipe à temps partiel pour les fins de semaine. Mais nous serions contraints à acheter une camionnette. Remarquez que, dans ces conditions, j'aurais également une proposition à faire. Pourquoi ne pas offrir à la fois une livraison plus flexible et de meilleures conditions de paiement. Si nous les offrons séparément à ceux qui les exigent, leur coût ne s'additionne pas, mais nous doublerions les effets de la fidélisation.

— Ce serait difficile à mettre en place à cause des contrôles. On ne peut pas demander, avant de le servir, la carte du client pour savoir à quel avantage il a droit. Ça ne se fait pas.

— Pourquoi?

— Parce que.

— Et si nous offrons ce service supplémentaire, mais en exigeant une surcharge?

— Non. Les acheteurs de meubles de Saint-Louix n'ont jamais payé pour leur livraison, et ils ne commenceront pas aujourd'hui. Quelqu'un a-t-il une bonne idée?»

Pendant que les autres parlent, vous préparez un tableau présentant leurs propositions. La rencontre vous encourage parce que vous sentez, plus que n'importe quand au cours des dernières semaines, que vous êtes sur la bonne voie. Vous montrez le tableau aux autres : «Voici en gros ce dont nous avons discuté jusqu'ici. Nous ne pouvons, pour des raisons économiques, tout offrir à tout le monde. Mais les trois autres propositions semblent valables.»

	Avantages	Inconvénients
Tout offrir à tout le monde :	– pourrait être annoncé en grandes pompes;	– très cher; – devrions augmenter nos prix.
Facturer un extra à ceux qui exigent un traitement spécial :	– permettrait de compenser les frais supplémentaires;	– les clients tiennent à la livraison gratuite; – ils iront chez Tremblay.
Offrir un avantage en quantité limitée :	– possibilité de l'offrir aux seuls clients solvables; – fidélisation;	– danger de perdre les clients si nous ne sommes pas à la hauteur des promesses.
Offrir deux avantages en quantité limitée :	– fidélisation; – segmentation de la clientèle;	– plus difficile à gérer.

Gilles s'est rallié à la proposition de Daniel, mais cet appui n'est pas définitif. La discussion se poursuit un bout de temps, mais il semble que tous soient prêts à se rallier à votre décision.

*
* *

Que décidez-vous?

• Si vous choisissez d'offrir un seul avantage à tout le monde, passez au chapitre 45.

• Si vous choisissez de préparer deux programmes distincts de fidélisation, passez au chapitre 46.

45

Tournés vers l'avenir

C'est samedi. Dans deux semaines, ce sera Noël. Comme le magasin est ouvert jusqu'à 21h00 du lundi au vendredi pendant tout le mois de décembre, c'est l'occasion idéale pour votre *party* des Fêtes. Tout le monde est présent.

Traditionnellement, la fête a lieu dans un restaurant de la région. Après un bon repas, on boit, on danse et on rit. Vers minuit, tous s'en vont chez eux et c'est fini. Mais cette année, vous souhaitiez faire quelque chose de spécial, et la fête se tient dans le magasin, au rayon des meubles de salon, que l'on a aménagé pour l'occasion. Vous avez commandé un buffet, embauché un orchestre et invité tous les employés, leurs conjoints et leurs enfants, chose que vous ne pouvez pas faire dans un bar.

Guy Saint-Amant joue le rôle du Père Noël. Il remet aux enfants des boîtes brillamment décorées pendant que leurs parents s'amusent et regardent leurs chérubins émerveillés par le magnifique sapin que vous avez fait installer. Meubli-Mart a pressenti Guy en août pour aller vendre chez eux, mais il était trop emballé par ce qui se passait chez vous et il a simplement refusé. Tant mieux. L'automne aurait été plus difficile sans ses prestations de maître vendeur.

«C'est très réussi comme soirée. Ils ont l'air heureux,» dit Rachel Weare, votre actionnaire principal. Vous ne pouvez que confirmer ses dires.

«Nous sommes tous passés par des moments éprouvants, mais maintenant nous avons pris conscience de notre valeur et nous savons qu'ils n'auront pas notre peau. Nos yeux sont tournés vers l'avenir et, comme nous le disons maintenant, l'avenir, c'est les clients.

— Comment vont les ventes?»

Vous souriez. «Le 10 décembre, nous avons rejoint les chiffres de l'an dernier. Cela veut dire que nous allons terminer avec une augmentation de 5 % ou de 6 %. C'est peu, mais compte tenu des circonstances, c'est beaucoup.»

Des cris se font entendre derrière vous. Vous vous retournez. Ils sont tous là, réclamant un discours. Rachel vous sourit, et vous vous dirigez vers l'orchestre, sous les applaudissements enjoués de tout votre personnel.

*

* *

Vous avez fait bien plus que simplement offrir aux clients qui le souhaitaient une livraison plus flexible. Vous avez, au cours des derniers mois, développé une nouvelle approche. L'implantation de cette philosophie s'est faite en six étapes.

1. Le sondage global

Vous avez envoyé une copie du sondage pour confirmer que 45 % de votre clientèle souhaitait une livraison plus flexible. Cela vous a permis d'identifier ceux pour qui ce service était important.

2. La mise en place

Vous avez ensuite travaillé avec toute votre équipe pour vous assurer d'être en mesure d'améliorer votre service à ce niveau. Vous avez mis sur pied un comité ad hoc et, sans rien imposer, vos employés ont trouvé des façons d'offrir aux clients privilégiés un service de livraison en moins de quatre heures, et ce, à un coût modique.

3. L'envoi de la carte privilège

Vous possédiez alors les noms de tous les clients qui souhaitaient une meilleure livraison et vous pouviez maintenant garantir un meilleur service à cet égard. Vous avez alors fait parvenir une lettre à tous les clients identifiés pour leur garantir que, sur présentation de la carte privilège, ils pourront bénéficier d'une livraison gratuite en moins de quatre heures à l'achat de tout produit en stock.

4. Le sondage régulier

L'envoi du sondage a ensuite été institutionnalisé. Deux semaines après chaque livraison, un sondage identique à celui qu'avait préparé Chantal était expédié aux nouveaux clients. Ceux qui suggéraient d'améliorer la livraison recevaient automatiquement une carte privilège. Les clients perdus recevaient également un tel sondage.

5. Le contact après-vente

Un appel était effectué auprès de chaque client quelque temps après un achat. On mesurait alors sa satisfaction et, s'il n'était pas satisfait, on prenait les dispositions nécessaires pour qu'il le soit.

6. La communication des résultats

Le taux de satisfaction de la clientèle était régulièrement communiqué à tous les employés. Une augmentation était célébrée, et une diminution entraînait un questionnement sur les événements récents. La satisfaction de la clientèle était devenue un facteur de succès et, en facilitant la circulation de l'information, ces statistiques établissaient la prochaine marque à battre. Toute l'équipe s'appropriait les résultats et, ce faisant, une nouvelle stratégie de gestion émergeait.

Tout d'abord conçue comme un outil de fidélisation de la clientèle, ce programme est devenu une philosophie qui imprègne maintenant votre entreprise et tous ses employés. Vous aviez bien raison de mentionner à Rachel que l'avenir d'une entreprise, c'est ses clients et qu'en satisfaisant ses clients elle parviendra à concurrencer l'adversaire.

*
*   *

Bravo! Vous avez réussi à assurer la survie de votre commerce malgré l'arrivée d'un concurrent majeur. C'est bien beau de fidéliser sa clientèle, mais pour survivre il faut aussi la faire croître. Voilà peut-être votre plus grande faiblesse. Pourquoi ne pas remonter dans le temps et reprendre au chapitre 1, 4, 6, 18, 20, 32 ou 44. Une autre finale, plus gratifiante encore, vous attend.

46

Une rencontre inattendue

Vous avez été très surpris quand, à la fin de novembre, Bergeron a demandé à vous rencontrer. Le propriétaire des Meubles Bergeron ne vous avait en effet jamais adressé la parole et, même si le sondage de Chantal l'avait classé au troisième rang des marchands de meubles de la région, vous agissiez tous les jours comme s'il n'était pas là.

L'homme est grand, assez costaud, et il porte un uniforme de livreur. Vous lui offrez un siège et lui demandez ce qui l'amène. Il n'attendait que ce signal pour se lancer : «J'ai besoin d'aide.»

Suit une longue discussion où vous apprenez que l'homme aimerait bien fermer son commerce, mais qu'il n'en a pas les moyens. «J'ai commencé à liquider mon inventaire en avril, quand ils ont fait leur première pelletée de terre. Pour continuer, il faudrait que je recommande. Les gens n'aiment pas magasiner dans un commerce à moitié fermé. Il faut que je sorte du secteur. J'ai la possibilité d'obtenir un poste chez Meubles populaires et j'aurais un locataire pour mon immeuble. C'est pourquoi j'ai pensé à vous.

— À moi! Que pourrais-je faire pour vous aider sans trop me nuire?

— J'ai pensé à vous, parce qu'avec Tremblay je ne me suis jamais très bien entendu. Voici à quoi j'ai pensé : il me reste des stocks d'une valeur de 158 000 $ au prix coûtant et un camion. Le camion, je peux le vendre rapidement. Si vous acceptez de prendre les meubles chez vous, en consignation, je me contenterais de 100 000 $, payable au fur et à mesure que vous les vendrez. Avec un arrangement de ce genre, je serais en mesure de faire patienter mes fournisseurs. Quand j'aurai touché mes 100 000 $, je ne devrai plus un sou à personne, mon local sera loué et je pourrai repartir à neuf.

— Votre locataire sera-t-il un marchand de meubles?

— Non, rassurez-vous. C'est un marchand de piscines. Et puis?»

Vous vous enfoncez dans votre fauteuil et feignez d'hésiter. «À part le dérangement, qu'est-ce que j'y gagne?

— Officiellement, nous annonçons que vous avez fait l'acquisition de mon commerce. Nous organisons une conférence de presse à ce sujet, et je fais ensuite parvenir une lettre personnelle à chacun de mes clients pour les remercier de leur clientèle et les encourager à acheter chez vous à l'avenir. Il me semble que nous y gagnons tous les deux.»

Voir un concurrent fermer ses portes, acquérir sa clientèle, s'assurer que ce n'est pas un autre marchand de meubles qui occupera le magasin et faire un peu d'argent sur les stocks qui seront placés en consignation, voilà une idée très intéressante. «Pourrais-je passer chez vous cet après-midi? Question de jeter un coup d'œil à votre auxiliaire des comptes à recevoir et d'évaluer la qualité de votre inventaire.

— Sans problème.»

Six heures plus tard, l'entente est conclue. Vous venez officiellement, en aidant quelqu'un à fermer ses portes, de faire l'acquisition d'un compétiteur.

*
* *

Déjà, votre programme de fidélisation en deux volets rapporte des dividendes. Vos ventes affichent une légère hausse par rapport à l'an dernier, et le taux de satisfaction de votre clientèle grimpe d'une semaine à l'autre. Il est évident qu'avec une solide base de clients, Meubli-Mart vous a fait bien moins mal qu'à vos concurrents. Déjà, Tremblay a fait quelques mises à pied, et les rumeurs veulent que ce ne soit pas fini.

Et pourtant, vous n'êtes pas vraiment satisfait. Vous avez en quelques mois mis de l'ordre dans votre organisation en la recentrant sur la clientèle. Vous avez instauré un programme de fidélisation qui vous protège d'une soudaine chute des ventes. Que vous reste-t-il à faire?

Le temps est venu de partir à la chasse, d'aller chercher les parts de marché des autres marchands, de favoriser un premier achat pour ensuite fidéliser ces nouveaux clients. La transaction que vous venez de signer avec Bergeron joue en ce sens, mais ce n'est pas suffisant. Vous avez donc préparé deux projets destinés à vous attirer de nouveaux clients.

Le premier projet consiste en la tenue d'activités annuelles (pique-nique, spectacles, soirées casino) offertes en exclusivité à vos clients. Cela créerait l'impression d'un club sélect, et vos clients pourraient avoir la possibilité d'inviter un ami à chaque activité. De cette façon, vous entreriez en contact avec des clients potentiels dans un contexte non commercial. Vous n'aurez qu'à faire bonne figure pour que ces clients potentiels pensent à vous au moment de leur prochain achat.

Le second projet consiste à faire des pressions sur votre groupement d'achat pour que des circulaires en couleurs soient préparées et distribuées deux fois par mois par tous les marchands membres. Vous vous dites qu'en unissant les 200 membres du groupement, les coûts unitaires de cette publicité approcheront ceux de Meubli-Mart et que vous pourrez alors lutter à armes égales. Ces deux solutions présentent des avantages et des inconvénients. Vous ne vous contenterez pas de la situation actuelle. Vous brûlez d'envie de bouger, de conquérir.

*

* *

Que décidez-vous?

• **Si vous choisissez de tenir des événements annuels, passez au chapitre 51.**

• **Si vous choisissez de faire des pressions sur votre groupement d'achat, passez au chapitre 52.**

Les Galeries Saint-Louix

Le magasin est plein à craquer, et la file continue à s'étirer sur le trottoir. Vous espérez un instant que vous ne manquerez pas de vivres, mais vous continuez néanmoins à serrer les mains de ceux qui arrivent. La soirée commence à peine, et déjà vos attentes ont été dépassées. Vous jetez un bref regard en direction de l'autre file, celle qui sort, et vous ne voyez que des visages souriants.

Un individu croise votre regard et vous fait signe de vous approcher. Il a accroché un ballon qui porte votre logo au poignet de son fil et le tient par la manche. «C'est fantastique! Je n'étais pas venu depuis quelques années, mais c'est sûr que je vais revenir. C'est triste que je ne puisse rien acheter ce soir!»

Vous avez en effet donné instruction à votre personnel de ne pas faire de facture ce soir. Vous attendiez trop de visiteurs, et chacun aime bien que les conseillers soient disponibles. «Vous n'avez qu'à appeler demain matin ou repasser faire un tour. Ça nous fera plaisir.»

L'homme vous serre la main et repart avec son fils. «À la prochaine!»

Vous tournez les talons, prêt à retourner serrer les mains de ceux qui arrivent, mais une dame vous arrête.

«Vous avez bien plus de meubles qu'auparavant. C'est très beau, vos rénovations. Et quelle gentillesse! Merci!

— C'est un plaisir, madame. Nous y avons mis le paquet, mais que ne ferions-nous pas pour de bons clients comme vous?»

Elle sourit. Vous savez qu'elle n'est pas cliente chez vous mais vous vous dites en cet instant qu'elle n'a jamais été aussi près de changer de marchand. «Merci pour la soirée et pour le vin d'honneur.»

Toute la soirée, vous avez reçu des félicitations. Et ce n'est que vers 23 h que vous pouvez enfin vous asseoir. Votre personnel est épuisé. Vous vous réunissez, dans les mobiliers de salon, pour reprendre un peu votre souffle. Danielle est emballée : «Quelle soirée! J'ai des clients potentiels pour m'occuper pendant deux mois! Si vous saviez combien les gens aiment le nouveau magasin!»

Patrick ne veut pas être en reste : «J'ai donné assez de cartes pour tenir toute l'année. Et ils aiment les galeries!»

*

*   *

L'idée des galeries a pris naissance à la suite de la présentation de Chantal. Comme les consommateurs ont continué à penser que votre commerce ne vend que des produits haut de gamme à une clientèle privilégiée, vous avez alors décidé de vous attaquer à ce phénomène.

Vous auriez à ce moment pu changer vos publicités et annoncer des produits bon marché et bas de gamme, mais vous ne souhaitiez pas perdre l'appui de ceux qui achètent chez vous à cause justement de cette image prestigieuse.

L'idée des galeries s'est alors imposée : vous allez refaire la surface de vente en créant trois zones bien définies et séparées par des semi-cloisons de verre ou de bois. Il y aurait *Les Galeries du confort*, votre sélection de meubles à la portée de toutes les bourses, *Les Galeries de l'appareil ménager*, votre rayon d'électroménagers, et *La Galerie distinction*, là où vous vendriez les meubles haut de gamme.

Dans chaque galerie, on utiliserait des carnets de factures différents. De cette façon, ceux qui tiennent à acheter du haut de gamme ne se retrouveraient pas avec les mêmes factures que ceux qui achètent du meuble bon marché. La livraison, quant à elle, reste sous la gouverne d'un seul et même service. Les camions affichent maintenant les couleurs de votre nouvelle raison sociale : *Les Galeries Saint-Louix*.

Vous avez pensé à tenir une conférence de presse, et vos vendeurs ont organisé une journée portes ouvertes. On pouvait visiblement voir que le nouveau look du commerce leur plaisait et qu'ils en étaient fiers. Déjà, malgré les travaux, les ventes ont commencé à grimper.

*
*   *

Gilles a retiré ses chaussures et il se masse tranquillement les pieds. «Vous seriez surpris du nombre de personnes qui mettaient les pieds ici pour la première fois. Pour eux, c'est comme si un nouveau magasin venait d'ouvrir ses portes. Et pourtant, nous n'avons pas changé notre inventaire d'un iota! C'est incroyable!

— Mais il n'y avait pas que des nouveaux clients. Beaucoup de clients réguliers sont emballés par notre nouvelle surface de vente. Je crois bien que nous allons passer en première position avant longtemps. Tremblay n'a qu'à bien se tenir!»

*
*   *

Bravo! Vous avez su utiliser l'information obtenue lors des sondages pour monter un projet qui répond aux attentes du public. En vous adaptant, vous avez fait prendre conscience aux consommateurs de

217

Saint-Louix qu'ils négligeaient peut-être le marchand numéro un de la ville. Il est à prévoir, si vous continuez sur cette voie, que vous deviendrez bientôt le marchand le mieux connu de la région.

Vous avez également su mobiliser votre personnel, et Meubli-Mart aura maintenant beaucoup plus de difficultés à vous nuire. Le danger n'est toutefois pas exclus. Vos décisions auraient pu vous mener plus loin. Pourquoi ne pas remonter dans le temps et retourner au chapitre 1, 4, 6, 18, 20 ou 37? Une bien meilleure finale vous attend ailleurs.

48

À marge élevée ou grand public?

Vous avez donc décidé, en revenant de chez Meubli-Mart, d'ajuster la gamme de produits que vous offrez pour pouvoir mieux faire face à la nouvelle concurrence. De retour à Saint-Louix, vous avez téléphoné à Chantal Lassonde, et cette dernière vous a demandé de passer la voir. Vous voici donc dans les couloirs de Meubles populaires, votre ancien employeur, suivant votre ancienne collègue en direction de la cafétéria. Les gens ne vous ont pas oublié : chacun vous sourit et vous demande comment vous allez.

Une fois assise, Chantal tente de résumer ce que vous lui avez raconté jusqu'ici. «Si je comprends bien, ton problème, au-delà du simple choix des meubles en magasin, c'est ton positionnement.

— Mon positionnement?

— Le positionnement, c'est le choix du couple "produit-marché" que tu souhaites desservir, car en choisissant le produit que tu souhaites vendre, tu choisis également la clientèle que tu vas rejoindre. Tous les clients ne souhaitent pas acheter le même produit. Tu as finalement à décider si tu vas te battre en face-à-face avec Meubli-Mart ou si tu vas avancer en parallèle, avec des gammes de produits différentes. C'est bien cela?

— Je crois que oui. Je veux savoir si je dois vendre les mêmes produits qu'eux ou choisir des créneaux qu'ils ne desservent pas.»

Chantal retourne son napperon et tire de sa poche un stylo. Elle trace quelques traits et inscrit MÊME GAMME et AUTRE GAMME à la droite du tableau. «Faisons les choses avec méthode. Commençons par nous demander quels sont les avantages et les inconvénients de vendre la même gamme de produits que Meubli-Mart.

— J'y vois deux avantages. Nous pouvons croire qu'ils sont suffisamment équipés pour acheter ce qui se vend le plus. Après tout, ils ont des gens qui ne font qu'acheter. Ce sont des spécialistes. En vendant la même chose qu'eux, nous offrirons ce qui se vend le plus.

— Et ton deuxième avantage?

— Ils publient une nouvelle circulaire toutes les semaines. Il est évident que cela crée une demande pour les produits annoncés. En vendant les mêmes produits, je pourrais bénéficier de leur campagne de publicité.»

Chantal continue de remplir son tableau à mesure que vous parlez. «Oui, mais en vendant les mêmes produits, tu ne te différencies plus de tes compétiteurs et tu risques de tomber dans une guerre de prix. Quand tout le monde offre le même produit, c'est habituellement ce qui arrive...

— Mais si j'ai un meilleur service?

— En es-tu vraiment sûr? Passons au deuxième cas. Quels sont les avantages si tu offres une gamme de produits majoritairement différente de celle de Meubli-Mart?

— Si je le faisais, je viserais une clientèle non desservie et, en annonçant des produits exclusifs, je pourrais développer une image haut de gamme qui m'amènerait sûrement une meilleure marge bénéficiaire. Je ne vois pas d'autres avantages.

— Ce serait un retour à l'image du magasin que possédait M. Lavallée. Mais ce qu'il faut savoir, c'est s'il existe un marché suffisant pour faire vivre un magasin comme le tien avec des produits qui ne sont pas destinés au grand public. Et comment répondras-tu quand les clients te demanderont pourquoi tu n'as plus tel ou tel produit?

— Je pourrais alors le leur commander, en gardant une marge bénéficiaire minimale.

— Fais attention! C'est le genre de comportement qui attire des mesures de représailles. Regarde. J'ai compilé ce que nous venons de dire. Il existe sûrement d'autres avantages et d'autres inconvénients, mais nous avons là de bonnes pistes de réflexion.»

Sur ce, Chantal retourne son napperon, et vous jetez un coup d'œil au tableau qu'elle vient de terminer.

Choix stratégiques	Avantages	Inconvénients
Même gamme	– Possibilité de bénéficier de la publicité de Meubli-Mart – Bénéficier de l'expertise des acheteurs de Meubli-Mart	– Guerre de prix possible – Pas de différenciation face à la concurrence
Autre gamme	– S'adresser à des clients non desservis actuellement – Image d'exclusivité – Marge brute plus élevée	– Quelle est la dimension du marché potentiel? – Que répondre aux clients qui demandent un produit annoncé ailleurs?

«Et que devrais-je faire, selon toi?

— C'est à toi de décider. Mais dis-toi qu'il est impossible, dans l'une ou l'autre des options, de ne pas vendre quelques produits identiques ou différents de ceux d'un concurrent. En faisant ce choix, c'est une orientation que tu donnes à ton entreprise. Sera-t-elle pareille ou différente? C'est toi qui décides. Mais dis-toi que ta question est peut-être mal posée?

— Mal posée?

— Oui. Tu n'es pas en affaires pour avoir le dessus sur Meubli-Mart. Ce serait ridicule que cela devienne la mission de ton entreprise. Ton objectif consiste à vendre des produits pour qu'il te reste un peu de profit en bout de ligne.

— Où veux-tu en venir?

— Tu peux décider de vendre majoritairement des produits identiques à ceux de Meubli-Mart, mais tu devras trouver le moyen de faire tout de même un peu d'argent. Tu devrais sélectionner les manufacturiers qui méritent de faire affaire avec ton entreprise. C'est là la vraie question.»

*

*   *

Qu'allez-vous décider?

• **Si vous choisissez de vendre des produits majoritairement identiques à ceux de Meubli-Mart, mais après avoir procédé à une sélection rigoureuse des fournisseurs, passez au chapitre 49.**

• **Si vous choisissez de vendre des produits majoritairement différents de ceux qu'offre Meubli-Mart, passez au chapitre 50.**

Des achats songés

Ni les rigueurs de février, ni la publicité de Meubli-Mart n'altérera trop les performances de votre commerce cet hiver-là. Sans connaître de hausse de votre chiffre d'affaires, vous atteigniez tout de même les ventes de l'année précédente, et votre marge bénéficiaire, contre toute attente, était en hausse.

Comme d'habitude, en revenant de la banque, vous vous arrêtez au bureau pour demander à Julie si vous avez reçu des messages urgents.

«Non, mais nous avons reçu la ristourne de Matelas Samtech.

— Ah oui! Combien?

— 7 280 $. C'est à peu près le double de l'an dernier.

— Comment est-ce possible? Nous n'avons pas doublé nos achats.

— Non, mais en dépassant les 100 000 $ d'achat au cours de l'année, le taux de ristourne passe de 4 % à 6 %. Notre nouvelle politique d'achat paye encore une fois.

— Alors ne lâchons pas. Et n'oublie pas la ristourne des employés.»

*

*   *

Dans le meuble, certaines compagnies ont l'habitude de verser annuellement des ristournes à leurs clients en se basant sur le montant de leurs achats de l'année précédente. Comme le montant des achats est compilé en janvier, les ristournes sont habituellement versées en février ou en mars. Ces remises suivent une échelle croissante, et plus vous achetez, plus le pourcentage de ristourne est élevé. C'est une façon pour les fournisseurs de s'assurer la fidélité des marchands et de minimiser les frais d'administration de chaque compte. Un compte de 100 000 $ est moins cher à administrer qu'un compte de 800 $ par an. Cette pratique a aussi cours dans plusieurs autres industries.

Si votre inventaire se compose majoritairement d'articles que l'on retrouve chez Meubli-Mart, ce n'est pas ce critère qui a déterminé votre choix. Vous vous êtes dit, après votre rencontre avec Chantal, que la question était mal posée. Ce n'est pas en vous basant sur vos concurrents que vous devez choisir vos fournisseurs. C'est en vous demandant lesquels étaient les plus intéressants à vendre.

Vous avez donc, aidé des précieux conseils d'un excellent ouvrage sur le sujet, conçu un test en six étapes visant à évaluer chacun de vos fournisseurs. Les voici.

Les critères de sélection des fournisseurs

1. Le bénéfice brut
2. Le ratio stocks/ventes
3. Le service après-vente
4. La participation à l'efficacité
5. Le test de fidélité
6. La qualité perçue par les clients

1. Le bénéfice brut

Vous avez relevé les 10 dernières ventes pour chaque fournisseur et vous avez compté les marges brutes réelles.

2. Le ratio stocks/vente

Vous avez évalué, pour chaque fournisseur, combien vous deviez garder d'articles en stock pour vendre 1 000 $. Les fournisseurs qui produisent régulièrement et ne vous obligent pas à conserver des stocks trop lourds recevaient les meilleures notes.

3. Le service après-vente

Vous avez ensuite compilé le nombre d'appels effectués chez chaque fournisseur et le temps moyen de chacun d'eux. Ceux qui vous coûtaient le moins cher et qui garantissaient le mieux la satisfaction de vos clients recevaient les meilleures notes.

4. La participation à l'efficacité

Vous avez ici donné les meilleures notes aux fournisseurs qui offraient des séances de formation pour vos vendeurs, qui garantissaient les meilleures ristournes et qui pressentaient le mieux les changements dans les goûts des consommateurs.

5. Le test de fidélité

L'un de vos vendeurs a appelé chaque fournisseur et s'est fait passer pour un client à la recherche d'un détaillant offrant leur produit. Ceux qui vous nommaient en premier obtenaient la meilleure note.

6. La qualité perçue par les clients

Finalement, vous avez évalué comment les consommateurs percevaient chaque fournisseur. La demande effective vous a alors guidé.

Chacun de vos fournisseurs a été évalué suivant ces six critères, et vous n'avez conservé que ceux qui se classaient globalement aux meilleurs rangs. Cette concentration de vos achats vous a permis de négocier de meilleurs prix et d'aller chercher les meilleures ristournes annuelles. Vous êtes maintenant en mesure de faire face à Meubli-Mart parce que vos prix de gros se rapprochent des leurs.

De plus, vous avez institué une ristourne pour tous les employés. Le quart des ristournes est ainsi partagé entre eux. Inutile de dire que lorsqu'un client se présente chez vous et qu'il souhaite acheter un produit que vous ne vendez pas, les arguments ne manquent pas, et la vente se conclut rapidement grâce à l'un de vos produits adaptés à ses besoins.

*

* *

Bravo! Sans être optimales, les décisions que vous avez prises ont permis de maintenir votre chiffre d'affaires et d'améliorer vos marges bénéficiaires. Tout cela doit s'être fait aux dépens de vos compétiteurs. Il est maintenant probable que quelques-uns d'entre eux fermeront leurs portes au cours de la prochaine année. Mais vous auriez pu faire mieux. Pourquoi ne pas remonter dans le temps et retourner au chapitre 1, 4, 41, 16 ou 48 et vivre une autre aventure? Le meilleur reste à venir.

50

Des top vendeurs

La cliente est entrée dans le magasin, la circulaire de Meubli-Mart à la main. Comme c'est au tour de Gilles de répondre, il se dirige vers elle, le sourire aux lèvres. «Bonjour madame! Quelle belle journée! En quoi puis-je vous être utile aujourd'hui?»

Du doigt, elle indique un appareil électroménager photographié en première page de la circulaire. «Avez-vous cette laveuse en stock?»

C'est l'instant de vérité. S'il répond sèchement non, elle tournera les talons et aucune vente n'aura lieu. Gilles fait la moue en regardant la photo. «Nous ne vendons plus cette génération de laveuses, madame. Pas depuis l'arrivée des nouveaux modèles à haut rendement et faible consommation d'énergie.

— Vous avez mieux que ça?

— Si vous voulez bien me suivre, je vais vous montrer ce qui se fait de mieux sur le marché actuellement. Après tout, l'argent est tellement difficile à gagner. Mieux vaut en tirer le maximum. Qu'en pensez-vous?

— Vous avez bien raison.»

Gilles l'emmène dans votre nouveau rayon des électro-ménagers et lui présente l'appareil. «Voici le bijoux. Profil avancé, cuve à grande capacité, panier intérieur en acier inoxydable, pompe avec capteur anti-bris. Cet appareil détermine lui-même la durée du cycle en se basant sur le poids de la brassée et la nature des tissus. Il n'utilise que l'eau nécessaire et ne vous coûte pas une fortune en élec-tricité. De plus, il est garanti pour cinq ans sur les pièces et la main-d'œuvre, et une garantie supplémentaire de cinq ans s'applique sur la pompe en polypropylène et sur la cuve. Cet appareil ne rouille pas, nettoie à la perfection et est très fiable. Faites-vous beaucoup de lavages par semaine?

— Euh... trois ou quatre brassées.

— C'est l'appareil idéal pour vous. Êtes-vous locataire ou propriétaire?

— Locataire. Pourquoi?

— Parce qu'avec tout le bruit que font les modèles de l'ancienne génération, vos voisins risquent de se plaindre les jours de lavage. Cet appareil est l'un des plus silen-cieux sur le marché. Et il ne vibre pratiquement pas. Finies les chicanes avec les voisins. Et le plus beau, c'est que j'attends mes livreurs vers 14 h. Nous pourrions vous la livrer et l'installer dès cet après-midi, et ce, sans frais. Notre livraison est gratuite.»

Son regard fait un va-et-vient entre l'appareil et la circu-laire qu'elle tient toujours à la main. «Votre laveuse doit être très chère.

— Non, madame. La technologie avance continuelle-ment, et les améliorations finissent par ne pas coûter bien plus cher. Vous pourriez avoir cet appareil pour 625 $ plus taxes. Il est en promotion.»

Elle regarde la circulaire. «J'ai l'autre pour 595 $.

228

— Mais notre livraison est gratuite. Si vous faites le calcul, mon offre est décidément la meilleure. De plus...

— Oui?

— Je vous débarrasse sans aucuns frais de votre ancienne laveuse. Quand pensez-vous pouvoir recevoir votre nouvelle merveille? Cet après-midi ou très tôt demain matin?

— J'aimerais mieux cet après-midi. Ça fait trois jours que je n'ai pas lavé.

— Si vous voulez bien me suivre, je vais m'assurer que vous la recevrez à temps.»

*
* *

Un an après l'ouverture de Meubli-Mart, vous exploitez toujours votre commerce. Vous avez opté pour la différenciation, et votre surface de vente présente maintenant très peu de choses que le consommateur peut retrouver chez votre principal concurrent. Cette situation vous permet de jouir d'une meilleure marge bénéficiaire que celle que vous retireriez à vous battre quotidiennement avec les mêmes produits que Meubli-Mart.

Mais cette survie a également un prix. Votre chiffre de vente a diminué de moitié et votre personnel a fait de même. Il ne vous reste plus que quatre vendeurs et une seule équipe de livreurs. Vos profits ont également chuté de moitié, et votre vulnérabilité vous hante.

Pour pouvoir vendre vos produits à des clients qui demandaient autre chose, vous avez énormément investi dans la formation de vos vendeurs. Ceux-ci sont présentement les meilleurs de la région et ils ratent rarement une vente.

Mais pourquoi resteraient-ils maintenant chez vous? Ils pourraient se faire beaucoup plus d'argent chez vos concurrents. Votre chiffre d'affaires est en baisse, et un top vendeur aime mieux travailler pour un leader. Que se passerait-il si l'un d'eux partait? Cette crainte vous a déjà tenu éveillé pendant plusieurs nuits.

*

* *

Votre histoire se termine ici. Vous avez certes réussi à rester ouvert, mais à quel prix! Votre commerce n'est plus que l'ombre de lui-même, et votre situation est très précaire. Mais tout n'est pas perdu. C'est la beauté d'un tel livre. Vous pourriez remonter dans le temps et retourner au chapitre 1, 4, 41, 16 ou 48 pour reprendre votre aventure. Vous méritez une bien meilleure finale que celle-ci.

Entrez dans la famille!

En décidant de réserver le Centre culturel de Saint-Louix et en embauchant cet orchestre, vous vous attendiez certainement à faire plaisir à vos clients, mais jamais vous n'auriez cru déclencher la semaine que vous venez de vivre.

Lundi, la station locale de radio, toujours avide de nouvelles, a voulu souligner le fait que, pour la première fois depuis sa formation, le groupe donnerait un spectacle à Saint-Louix. Vous étiez en studio, et le leader du groupe était au téléphone. Vous avez répondu pendant plus d'une heure aux questions de l'animateur et de l'auditoire. Vous avez été appelé à expliquer pourquoi vous faisiez ce cadeau à vos clients, tandis que le leader parlait de ses plus récentes compositions. L'émission a connu un vif succès.

Mardi, le téléphone du commerce n'a pas cessé de sonner. Les gens voulaient obtenir des billets, et votre personnel a passé la journée à expliquer que c'était une soirée réservée à vos clients privilégiés. Certains sont passés acheter quelque chose, simplement pour obtenir un billet. Pendant ce temps, d'autres partaient à la recherche d'un client privilégié qui n'aurait pas encore trouvé quelqu'un pour l'accompagner.

Mercredi, à la suite des pressions populaires, vous avez négocié, avec le groupe et la direction du centre culturel, une soirée de supplémentaire. Parce que l'équipement serait déjà installé, cette seconde soirée vous coûterait la moitié de la première. En plus de samedi, il y aura donc un spectacle le dimanche. Pendant ce temps, vos vendeurs ne suffisaient pas à la tâche, et vous enregistriez un nombre étonnant de nouveaux clients privilégiés.

Samedi midi, finalement, vous avez dû mettre un terme à la promotion en annonçant que tous les billets de la représentation supplémentaire avaient été distribués. Il ne restait qu'à espérer que la soirée soit aussi réussie que la prépromotion.

*
*　*

Vous étiez à l'entrée quand les spectateurs sont arrivés et vous devez maintenant vous adresser à eux. Ce ne sera pas long : vous savez que les gens sont venus pour voir un spectacle et non pour vous écouter vanter votre négoce. Vous procéderez donc rapidement.

Les lumières de la salle s'éteignent, et la scène s'illumine. Immédiatement, les applaudissements fusent, et c'est sous ces applaudissements que vous apparaissez, un micro à la main. «Bonsoir mesdames et messieurs. Bienvenue à ce premier spectacle annuel réservé aux clients privilégiés des Ameublements Saint-Louix. Je sais que vous avez hâte de voir le spectacle commencer; c'est pourquoi je ne parlerai pas longtemps. Laissez-moi toutefois la chance de vous dire que c'est un plaisir pour nous de vous recevoir ce soir. Tel que mentionné dans la lettre qui accompagnait vos billets, il n'y a aucun truc dans cette promotion. Vous n'aurez rien à acheter avant de sortir! C'est notre façon de vous remercier pour votre appui, et j'en profite pour vous annoncer une bonne nouvelle : il y aura bel et bien un autre spectacle du genre au courant de l'an prochain. Avertissez vos connaissances et parlez-leur de l'importance d'être client privilégié chez Ameublements Saint-Louix. Alors, bonne soirée à tout le monde. Que le spectacle commence!»

Vous quittez la scène sous les applaudissements pendant que le percussionniste du groupe entame une chanson que tous semblent connaître. Vous remontez la salle pour vous rendre à la dernière rangée, qui a été réservée à vos employés. À l'entracte, ils se mêleront à la clientèle et s'assureront que les clients considèrent le fait de magasiner chez vous comme un privilège.

*
*   *

Le chemin que vous avez parcouru depuis le début de cette aventure est très impressionnant. Donnons-nous maintenant la peine de le résumer en trois points.

1. Vous avez mis de l'ordre dans votre maison

Vous avez repensé votre façon de faire les choses en tenant compte des attentes de votre clientèle. Ce n'est plus vous qui pensez à leur place; vous allez maintenant puiser à la source ce qui assurera leur satisfaction.

2. Vous avez fidélisé votre clientèle

Vous n'aviez pas à tout donner à tous vos clients. Mais en trouvant le critère le plus important pour chacun des clients, vous avez réussi à tous les satisfaire à moindre coût. Dorénavant, vos clients sentiront un pincement au cœur s'ils achètent ailleurs.

3. Vous avez transformé vos clients fidélisés en ambassadeurs

Ce faisant, vous avez adopté une technique de recrutement indirecte qui est souvent bien plus efficace que la publicité. Les gens ont en effet plus tendance à croire leurs amis ou leurs collègues que la publicité radiophonique ou imprimée.

Il y a fort à parier que Meubli-Mart n'aura pas le dessus sur vous. Vous entrevoyez l'avenir avec sérénité, et vous avez acquis la conviction que ce n'est pas en les imitant que vous allez gagner. Vous devez rester vous-même, et ce n'est pas en jouant les «petits marchands grande surface» que vous y parviendrez. C'est en vous servant au mieux des armes que vous possédez déjà et des forces qui vous distinguent.

*

*   *

Bravo! Si nous étions en classe, vous auriez 90 %! Il serait compréhensible que, rendu à ce stade, vous décidiez de goûter le repos du juste. Mais disons tout de même que quelque part se trouve un cheminement qui vous donnerait une meilleure note encore. Alors, si le cœur vous en dit, remontez dans le temps et retournez vite au chapitre 1, 4, 6, 18, 20, 32, 44 ou 46.

52

À armes égales

Le photographe demande à tout le monde de se rapprocher un peu plus. Vous tentez de sourire mais le soleil vous fait légèrement grimacer. Dès qu'il aura terminé, vous rencontrez le journaliste de la station de radio locale. Il souhaite connaître les raisons de votre succès! Il sera probablement déçu de vos réponses.

Derrière vous, un peu à droite, se trouve une immense pelle articulée Komatsu. C'est avec cet engin que vous avez procédé à la première pelletée de terre. C'était bien plus imposant qu'à la cérémonie de Meubli-Mart, il y a un peu plus de deux ans.

Le maire Forcier est visiblement heureux de figurer sur la photo. Les élections auront lieu dans quelques mois, et il souhaite conserver son poste. Il vous a fait savoir, tout à l'heure, que le conseiller sortant de votre quartier ne se représente pas et que, si vous le voulez bien, vous seriez le bienvenu dans son équipe. Pauvre homme! Vous n'avez pas osé lui dire que, si la politique vous intéressait un jour, c'est le poste de maire que vous brigueriez.

Voici venir le journaliste de la radio. Il tient à la main la pochette que vous avez distribuée à tous les médias. Elle contient le texte de la conférence de presse. «Comment expliquez-vous que vous puissiez agrandir votre commerce, moins de deux ans après l'arrivée d'un concurrent majeur comme Meubli-Mart?»

Vous réfléchissez un instant. Tout cela semble si près et si loin. Comment synthétiser une série de gestes qui étaient tous interreliés? Peut-être était-ce le fruit de votre programme de fidélisation? Non. Il n'expliquerait pas l'augmentation continue de votre chiffre d'affaires. Vous souriez. C'était peut-être l'arrivée de la circulaire hebdomadaire.

*

*   *

Vous n'avez pas eu de difficulté à faire adopter votre projet par votre groupement d'achat. Vous saviez que peu de gens assistent à l'assemblée générale annuelle. Vous n'avez eu qu'à convaincre à l'avance cinq ou six participants, et l'adoption de votre projet était presque assurée. Il faut dire, cependant, que vos arguments étaient de taille.

Vos arguments de vente

1. Hausse de la visibilité des membres participants
2. Possibilité, grâce aux économies d'échelle, de produire une publicité de qualité supérieure
3. Possibilité, grâce aux économies d'échelle, de produire une publicité à un coût unitaire moindre
4. Capacité de négocier des rabais auprès des manufacturiers dont les produits paraîtront dans notre publicité
5. Possibilité d'aller chercher une participation financière des manufacturiers dont les produits figureront dans notre publicité

Vous avez commencé par insister sur la nécessité pour chacun des membres du groupement d'être visible dans sa communauté. Vous avez également fait le constat que celui qui voudrait produire tout seul une circulaire de qualité devrait investir des ressources énormes, des ressources que la majorité des membres ne possèdent pas.

Vous avez ensuite ajouté qu'une mise en commun des ressources permettrait au groupement d'aller chercher des prix spéciaux auprès des manufacturiers et une participation financière pour la réalisation des circulaires.

L'assemblée générale a accepté la proposition. Un mois plus tard, après avoir fait préparer des devis, le directeur général du groupement faisait parvenir à chaque membre un bon de commande présentant le prix unitaire de la circulaire. Plus de 60 % des marchands membres ont à ce moment choisi de participer à la réalisation du projet.

*

* *

Deux ans et demi après cette fameuse visite de Chantal, vous êtes toujours en affaires. Votre dernière année financière a vu vos ventes bondir de 12 %, et vous occupez aujourd'hui la première place dans le marché du meuble et de l'électroménager à Saint-Louix. Ameublements Tremblay est moribond, et le nouvel agrandissement vous donnera la possibilité de continuer la croissance quelques années encore.

Remarquez que vous n'auriez pas connu ce succès si vous aviez immédiatement pensé à cette circulaire de groupe. Votre commerce n'était pas en mesure de faire face à un accroissement de la clientèle et parvenait déjà difficilement à satisfaire sa clientèle du moment. Ce n'est que lorsque vous avez réussi à satisfaire et à fidéliser vos clients actuels qu'il s'est avéré payant de partir à la conquête de clients potentiels. Celui qui attire une foule de nouveaux clients sans être en mesure de les satisfaire réalisera, au mieux, une seule vente. Celui qui les attire une fois qu'il est en mesure de les satisfaire les gardera pour la vie. Et, dans l'industrie du meuble, un client achètera tout au long de sa vie pour un peu plus de 30 000 $.

*

* *

Vous regardez le journaliste et souriez. «C'est difficile de répondre à une telle question en quelques mots. Un livre complet n'y arriverait pas. Mais je vais quand même vous

237

donner les mots clés : travail, amour des gens, système d'information adéquat, capacité de voir son entreprise avec l'œil de la clientèle. Je crois que ce sont là les éléments essentiels au succès, que ce soit dans le domaine du meuble ou dans n'importe quel secteur.

— Et que pensez-vous de cette monopolisation progressive de l'économie par...»

*

* *

Après l'entrevue, vous vous dirigez vers le magasin. Votre équipe tout entière vous attend. Il est temps de sabler le champagne!

*

* *

Bravo! Passez immédiatement au chapitre 54.

53

Une journée mémorable

Pour beaucoup de gens, le 23 octobre fut un jour comme les autres, sans plus. Pour eux, il y eut certes ce jour-là des accidents de la circulation, d'obscurs conflits politiques à l'étranger, des gens tombèrent malades et d'autres rencontrèrent le grand amour, mais rien qui aurait mérité qu'on se souvienne spécialement de cette journée.

Mais chez Ameublements Saint-Louix, il en allait tout autrement. Pour la première fois, votre indice de satisfaction de la clientèle dépassait les 80 %. Mais, avant d'aller plus loin, faisons un bref rappel des derniers mois et

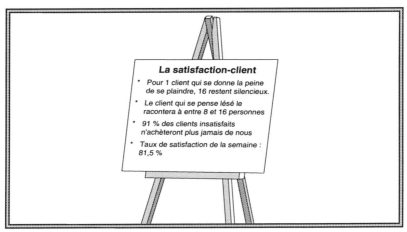

La satisfaction-client

* Pour 1 client qui se donne la peine de se plaindre, 16 restent silencieux.

* Le client qui se pense lésé le racontera à entre 8 et 16 personnes

* 91 % des clients insatisfaits n'achèteront plus jamais de nous

* Taux de satisfaction de la semaine : 81,5 %

Tableau de la salle de repos des employés

jetons un coup d'œil au babillard placé dans la salle de repos des employés.

Depuis cette expérience avec un acheteur mystère, toute votre équipe s'est attaquée à la satisfaction du client.

Dans un premier temps, vous avez complètement redéfini les relations entre le service des ventes et celui de la livraison. Le vendeur s'assure maintenant de la faisabilité d'une promesse avant de la faire, et les livreurs se font un point d'honneur de tenir toutes les promesses. De cette façon, vous avez fortement amélioré l'expérience d'achat des clients.

Vous avez de plus institué un point supplémentaire de contact avec la clientèle. Chaque client se fait appeler par un employé de la comptabilité deux semaines après la livraison pour un petit sondage sur sa satisfaction. S'il y a quoi que ce soit qui a cloché, des mesures sont immédiatement prises pour améliorer sa satisfaction et s'assurer que de telles choses ne se reproduiront plus. Vous pouvez grâce à ce programme faire amende honorable auprès des clients insatisfaits et vous assurer leur fidélité.

Chaque semaine, vous compilez les appels et inscrivez sur le babillard le taux de satisfaction général. Les premières semaines ont été difficiles pour l'ego de tous : seulement 60 % des clients se déclaraient complètement satisfaits de leur expérience. C'était très difficile à accepter par des gens persuadés d'être les meilleurs sur tous les fronts.

Mais, petit à petit, vous avez pris conscience de vos forces et de vos faiblesses, puis vous avez suffisamment modifié vos processus d'affaires pour annoncer, un peu avant l'ouverture de Meubli-Mart, votre campagne *Prenez-nous au mot!*

Vous vous êtes en effet rendu compte que bien des clients avaient carrément l'impression que les vendeurs ne cherchaient qu'à les arnaquer et qu'une fois leur signature apposée au bas du contrat les marchands se foutraient d'eux. Votre campagne cherche à vous positionner comme un marchand qui garantit les promesses de son personnel.

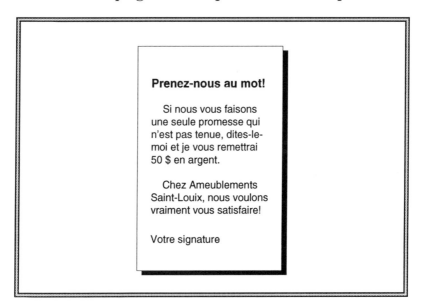

Prenez-nous au mot!

Si nous vous faisons une seule promesse qui n'est pas tenue, dites-le-moi et je vous remettrai 50 $ en argent.

Chez Ameublements Saint-Louix, nous voulons vraiment vous satisfaire!

Votre signature

Vous ne vous battez pas sur les prix ni sur des terrains où vous partiriez perdant contre Meubli-Mart. Vous vous battez sur le service et la satisfaction du client, en rêvant de la journée où vous afficherez un taux de satisfaction supérieur à 98 %. Et vos concurrents devront travailler beaucoup avant de vous prendre un client satisfait. Vous en êtes conscient et l'avez inculqué à toute votre équipe.

Il est encore trop tôt pour dire si vous aurez raison de Meubli-Mart qui a ouvert ses portes depuis deux mois. Mais votre chiffre de vente, malgré l'énorme campagne de marketing de Meubli-Mart, n'a diminué que de 10 % par rapport à l'an dernier. C'est beaucoup moins que ce que vous entrevoyiez, et c'est à votre nouvelle façon de faire les choses que vous le devez.

Des représentants vous ont même laissé entendre qu'il en allait tout autrement de vos autres compétiteurs. Ameublements Tremblay, notamment, verrait présentement ses

ventes fondre comme neige au soleil. Un de ses bons vendeurs est passé vous voir la semaine dernière et a demandé
s'il y avait de la place pour lui dans votre équipe. Vous
n'en êtes pas rendu là, mais comme l'éventualité de connaître une croissance dans les mois qui viennent reste
très plausible, vous avez promis de lui donner des nouvelles d'ici quelques mois. À ce moment, vous êtes-vous
dit, votre indice de satisfaction frisera la perfection.

*

*   *

**Bravo! Vous avez su vous distinguer de la compé-
tition et vous assurer la fidélité de votre clientèle.
Pas mal pour quelqu'un qui avait choisi d'augmenter
le nombre de ses clients! S'il est encore trop tôt pour
parler d'une victoire certaine face à l'invasion de
Meubli-Mart, je parie que vous êtes en bien meilleure
position que les autres marchands de meubles de la
région et que vous serez toujours là l'an prochain.**

**Je dois malheureusement avouer, cependant, qu'il
aurait été possible de faire mieux et que cette victoire,
aussi éclatante soit-elle, aurait pu s'éclipser devant
une autre stratégie. Reprenez vite votre aventure et
remontez dans le temps en retournant au chapitre 1,
4, 6, 18, 19 ou 23.**

54

Vers une nouvelle aventure?

Quand le trio est entré dans le magasin ce matin, vous avez immédiatement reconnu Jacques Potvin, le directeur général du groupement d'achat GMP. Ce dernier vous a alors présenté ses deux complices (un comptable de chez BCBG et un courtier en valeurs mobilières), et vous avez fait visiter votre commerce à vos invités.

Tout ce temps, vous vous demandiez ce qu'ils pouvaient bien vous vouloir et, quand le comptable vous a invité à souper, vous étiez encore plus curieux de le savoir. Inquiet, vous vous présentez, en ce début de soirée, au Canard argenté où les trois compères sont déjà attablés.

*
* *

En vous voyant arriver, les trois se lèvent et vous tendent la main tour à tour. Brodeur, le comptable, prend ensuite la parole. C'est visiblement lui qui mènera la rencontre. «Vous vous demandez probablement ce que nous faisons à Saint-Louix et pourquoi nous sommes passés visiter votre entreprise ce matin.

— Je suis en effet curieux de connaître ce qui se passe.

— Monsieur Lévesque et moi représentons un groupe de financiers qui trouvent malheureux de voir une seule chaîne occuper peu à peu tout l'espace commercial du secteur du meuble au Québec. Nous avons donc contacté M. Potvin qui s'est fait un plaisir de...

— Attendez une minute. Je ne souhaite pas avoir une nouvelle chaîne dans les pattes!» Vous vous tournez vers Potvin. «C'est quoi cette histoire?»

Brodeur ricane un peu. «N'ayez crainte. Nous ne souhaitons pas vous faire compétition, bien au contraire. Si nous avons contacté les dirigeants de plusieurs groupements d'achat, c'est parce que nous souhaitions connaître les marchands qui avaient su faire face avec succès à l'implantation de Meubli-Mart. Nous avons ensuite contacté plusieurs clients de chaque marchand identifié pour déterminer un indice de satisfaction générale de la clientèle. Et il semble que vous ayez les clients les plus satisfaits de l'industrie.

— Je suis bien content de l'apprendre. Mais encore?

— Écoutez. J'irai droit au but. Notre groupe d'investisseurs souhaite mettre sur pied un nouveau réseau de franchises dans le secteur du meuble et de l'électroménager au Québec. Et j'ai carte blanche pour vous convaincre d'accepter la présidence de la chaîne.»

L'annonce vous surprend. Vous vous attendiez peut-être à une offre d'achat, mais pas à un tel projet. Vous souhaitez en savoir plus. «Je ne connais pas le monde des franchises. Qu'est-ce que cela implique?»

C'est l'expert en valeurs mobilières qui prend la parole. «Dans un premier temps, nous sommes prêts à financer la rédaction d'un manuel de procédures et toutes les analyses préliminaires que nécessitera le projet (pro forma, études de faisabilité, localisation géographique des premières franchises, etc.). Vous n'avancez pas un sou. Votre investissement, c'est le savoir-faire que vous avez développé au fil des ans. Par la suite, votre commerce devient cette première franchise. À ce moment, vous n'assumez plus la direction générale de votre commerce. Il doit être autonome pour pouvoir vraiment servir d'expérience pilote.

— Et ensuite?

— Par la suite, nous commençons l'expansion. Nous offrirons deux modes d'adhésion aux franchisés potentiels. Il y aura tout d'abord la franchise type pour celui qui souhaite devenir marchand, puis une franchise pour ceux qui souhaitent changer de bannière et adopter la nôtre. Votre recette est gagnante. Il n'y a pas de limites à ce que nous pouvons faire, et il pourrait très bien arriver que, d'ici quelques années, Meubli-Mart se retrouve en deuxième place, après nous. Que dites-vous de cela?

— J'avoue que l'idée de détrôner Meubli-Mart me fait un peu plaisir. Mais, dites-moi, si je n'investis rien, quel avantage pourrais-je retirer de l'aventure?

— Nous sommes ouverts à toutes les propositions que vous nous ferez. De plus, un stock d'actions vous sera dévolu dès la mise sur pied de la compagnie. Comme vous voyez, nous traitons bien les partenaires qui ont du potentiel.»

Vous vous tournez vers Potvin : «Et vous, qu'avez-vous à gagner dans tout cela. Vous risquez de perdre plusieurs marchands membres. Pourquoi?»

C'est Brodeur qui répond : «Monsieur Potvin a été pressenti pour s'occuper du développement de la nouvelle chaîne. Il a établi de nombreux contacts dans l'industrie, et sa participation accélérerait le développement de notre projet.

— Mais l'équipe me serait-elle imposée?

— Non, non. Mis à part M. Potvin, vous choisirez vous-même ceux qui feront partie de votre équipe. Alors, qu'en pensez-vous?»

Présider une nouvelle franchise spécialisée dans les meubles et l'électroménager vous semble une idée très intéressante. Vous songez à ceux qui accepteraient de vous suivre dans l'aventure. «Je vais y penser très sérieusement. Donnez-moi quelques jours, et je vous contacte.»

*

*   *

Serait-ce là le début d'une nouvelle aventure? En attendant, rendez-vous à la conclusion de celle-ci. Vous méritez toutes les récompenses possibles.

Payez quand vous voulez

Votre visite d'une succursale Meubli-Mart, loin de vous décourager, vous a au contraire persuadé que les jeux n'étaient pas faits et que vous pourriez probablement faire face à cet envahisseur. C'est comme si, en visitant leurs installations, ils avaient quitté le monde des chimères et des cauchemars pour pénétrer dans le monde réel, où chacun a des forces et des faiblesses. Vous entendez bien profiter de ces nouvelles connaissances.

Si vous avez choisi d'offrir des programmes de financement, c'est qu'il vous a semblé, au cours de votre visite, que c'était là le principal argument de vente de Meubli-Mart. Cela expliquait pourquoi leurs prix étaient plus élevés que vous ne l'aviez imaginé, les coûts de financement devant être intégrés au prix de vente. De plus, le fait de payer mensuellement fidélise le client, puisqu'il sait que son compte est ouvert si un nouveau besoin se présente.

Vous avez donc rencontré plusieurs firmes, et c'est avec Monémoné, une société de financement, que vous avez conclu une entente. Sur acceptation de crédit, la société rachète vos comptes clients pour environ 1 % par mois. Donc, si vous vendez 1 000 $, payable sans intérêt dans un an, Monémoné achète la créance pour 880 $. Vous touchez immédiatement cette somme et vous n'avez pas à vous préoccuper des mauvaises créances.

Il va sans dire que cela vous a forcé à réviser votre politique de prix. Mis à part les articles où la concurrence est plus acharnée, vous avez augmenté la majorité de vos prix de 10 %. On pourrait croire que cette décision a fortement diminué vos parts de marché, mais il n'en est rien. Au contraire, vendre plus cher que ses concurrents, si vous disposez d'une force de vente compétente, a souvent des avantages. Tendons l'oreille et écoutons ce que Danielle, une de vos vendeuses, peut tirer de cet avantage.

*

* *

«Et de plus, nous livrons gratuitement. Vous pourriez, dès ce soir, avoir votre nouveau mobilier de salon chez vous. Nous l'installons et nous ramenons toutes les boîtes. Il ne vous reste qu'à en profiter. Le préférez-vous ce soir ou demain matin?

— Combien vous avez dit qu'il coûtait?

— Avec les taxes, votre investissement s'élève à 1 350 $.

— J'ai vu le même dans un autre magasin. On me l'offrait à 1 280 $.

— Mais vous offrait-on notre service or? Vous savez que ce mobilier est couvert par notre programme sans intérêt. Vous n'avez pas à verser un sou avant 12 mois : pas de dépôt; pas de paiement; pas d'intérêt avant un an.

— Vous apprendrez que j'ai l'habitude de payer ce que j'achète. Des mois sans intérêt, ça ne m'intéresse pas.

— Je vois que vous êtes à l'aise et habitués en affaires. C'est parfait. Vous savez, on n'a rien pour rien, mais si vous payez sur livraison j'ai l'autorisation de réduire du prix les frais d'intérêt que le programme nous aurait coûté. Ce mobilier vous reviendrait donc, si on exclut le programme, à 1 255 $, tout inclus. Le souhaitez-vous ce soir ou demain matin?»

L'homme et la femme se regardent quelques secondes avant de répondre : «Ce serait mieux demain matin. Nous aurons le temps de nettoyer notre tapis.

— Passons donc à mon bureau. Nous allons vous le réserver officiellement. C'est un plaisir de faire affaire avec des gens qui savent ce qu'ils veulent.»

*
*   *

Ils se dirigent tous les trois vers le bureau des ventes et, quelques minutes plus tard, ils en ressortent. Danielle n'a pas consenti tout l'escompte qu'elle aurait pu, et la transaction vous laisse plus de profits que votre ancienne façon de procéder. Et si le client attendait une entrée de fonds, Danielle aurait pu offrir un autre délai (4 mois au lieu de 12) et diminuer quand même le prix de vente. Votre stratégie s'adapte facilement aux besoins du client.

*
*   *

Que se passera-t-il quand Meubli-Mart ouvrira ses portes en septembre? Si vous avez vu juste et que vous comprenez bien leur stratégie, Meubli-Mart vous semblera moins dangereux. L'information sur les concurrents, c'est la première pierre dont dispose les David en herbe.

Votre travail n'est toutefois pas complet. Vous disposez certes d'une nouvelle arme, mais que ferez-vous pour retenir les clients attirés par la publicité massive de votre nouveau compétiteur? Après tout, en adoptant leur stratégie, sans nécessairement copier les signes extérieurs (préposé à l'accueil, etc.), vous n'offrez rien de plus qu'eux et vous ne vous distinguez pas.

Il vous reste cependant quelques mois pour définir de nouvelles stratégies. Votre service de livraison gratuite constitue un avantage. Comment pourriez-vous le mettre en valeur? Et que pourriez-vous faire, dès aujourd'hui, pour que vos vendeurs acquièrent la compétence que vous avez dénoté chez ceux de Meubli-Mart?

*

*   *

Bravo! Sans être optimales, vos décisions ont été très valables. Mieux connaître ses concurrents se révèle une étape essentielle pour gagner une lutte commerciale. Il existe cependant d'autres stratégies qui vous auraient permis de tourner l'affrontement encore plus à votre avantage. Remontez donc dans le temps, retournez au chapitres 1, 4, 41 ou 16 et reprenez votre aventure. De meilleures finales vous attendent.

Conclusion

Si vous êtes arrivé à cette conclusion après vous y être fait diriger à la fin d'un chapitre, Ameublements Saint-Louix est maintenant tiré d'affaire. En fait, c'est peut-être l'organisation de Meubli-Mart qui devrait commencer à s'énerver. Vous ne tarderez pas à vous définir de nouveaux objectifs de croissance.

Si vous avez réussi (car seule la solution optimale vous mène à cette conclusion), c'est parce que vous avez refusé de baisser les bras et de laisser le destin vous faire la peau. Vous incarniez David contre Goliath, mais David était armé jusqu'aux dents!

Voici les pierres de votre fronde : l'information, autant sur les consommateurs que sur vos concurrents; votre capacité à mobiliser une équipe; votre désir de satisfaire la clientèle; votre aptitude à saisir, dans le flot des messages qui vous assaillent chaque jour, ceux que vous pourrez utiliser de façon profitable.

Plusieurs possèdent ces pierres, mais ils préfèrent fuir ou laissent le temps et les grands détaillants éroder tranquillement leurs capacités concurrentielles. Un jour, ils décident de tout laisser tomber, se réconfortant à l'idée qu'ils n'y pouvaient rien et que les gros, tôt ou tard, auront la peau de tous les petits. Ces pensées réconfortantes aident à accepter l'échec, mais est-ce ce dont vous avez besoin?

Ceux qui luttent, qui jouent les David comme vous venez de le faire pourraient très bien, à leur tour, jouer des tours aux géants du commerce de détail.

Et si ce n'était pas un jeu?

Vous venez de vivre une aventure fictive, et il convient ici de faire trois remarques qui pourraient vous servir dans la réalité, si vous êtes vous-même détaillant et si vous vous retrouvez un jour dans cette situation. (Croyez-moi, les chances de vous retrouver un jour avec un Meubli-Mart, un Sport-Mart, un Vêtements-Mart, un Crème-Glacée-Mart ou un Ce-que-vous-voulez-Mart dans votre cour sont bien plus grandes que vous ne le pensez.)

Remarque nº1 : n'attendez pas que Meubli-Mart arrive pour vous préparer

Le meilleur temps pour commencer à voir votre entreprise avec les yeux du client, c'est aujourd'hui. Le point de départ, c'est votre entreprise, avec ses attributs et sa personnalité. Ne jouez pas les imitateurs et ne devenez pas «comme un Meubli-Mart, mais en plus petit». Cette voie est vouée à l'échec. Restez ce que vous êtes, mais prenez connaissance des attentes du marché.

Remarque nº 2 : retenez le modèle qui a connu du succès dans notre aventure

Ce modèle se trouve dans la figure suivante. Vous devez mettre de l'ordre dans votre commerce avant de tenter de fidéliser la clientèle. Sinon, si vous suscitez des attentes que vous n'êtes pas capable de combler, vos clients iront voir ailleurs.

Finalement, ne partez pas à la conquête de nouveaux clients avant d'être convaincu que vous êtes en mesure de les satisfaire, sinon leur clientèle s'avérera très éphémère.

Remarque n° 3 : retenez que l'aventure que vous venez de vivre n'inclut pas toutes les réponses

Une partie de ce que vous venez de vivre était arrangée, et il n'est pas dit que, dans la réalité, vous n'auriez pas pu sauver Ameublements Saint-Louix en utilisant d'autres méthodes. Ce que vous venez de lire n'avait pas pour objectif de vous donner toutes les réponses. Nous cherchions plutôt à susciter des questions et à modifier votre conception du commerce de détail.

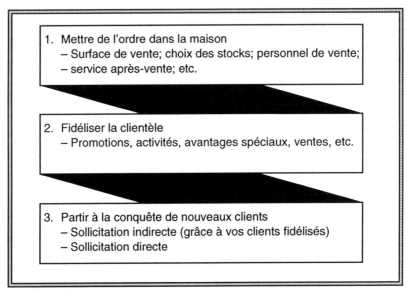

Les trois étapes

1. Mettre de l'ordre dans la maison
   – Surface de vente; choix des stocks; personnel de vente;
   – service après-vente; etc.

2. Fidéliser la clientèle
   – Promotions, activités, avantages spéciaux, ventes, etc.

3. Partir à la conquête de nouveaux clients
   – Sollicitation indirecte (grâce à vos clients fidélisés)
   – Sollicitation directe

En guise de conclusion

Il est toujours difficile pour un auteur de mettre un point final à un ouvrage : tant de choses n'ont pas été dites et tant de choses auraient pu l'être autrement. Je souhaite que vous vous soyez amusé et qu'en même temps vous refermiez ce livre avec la ferme conviction que vous connaissez maintenant davantage le travail du détaillant et tout ce que cela implique.

Dossier confidentiel

Rappel historique

Fondé au début des années 1960 par Édouard Lavallée, Ameublements Saint-Louix offrait au tout début des meubles, de l'équipement agricole (*boil tank*, etc.) et le recouvrement de planchers. La population environnante était alors inférieure à 8 000 âmes et, pour survivre, il fallait vendre tout ce qui était susceptible d'être acheté.

Mais la décennie 1970 a constitué un revirement majeur. Le bassin de population croissait rapidement, des industries s'installaient tout autour et les revenus individuels augmentaient. Monsieur Lavallée a alors joint le groupement d'achat GMP et s'est concentré sur les meubles et les électroménagers, offrant ce qu'il y avait de mieux et desservant une clientèle de plus en plus avertie.

Les années 1980 ont vu la tendance se poursuivre. Des compétiteurs s'installaient tout autour mais il n'était pas rare d'entendre, dans la population, que si on veut quelque chose de beau, c'est chez Lavallée qu'on va le trouver. Au milieu des années 1980, une rénovation majeure venait confirmer cette image.

Au début des années 1990, le médecin de M. Lavallée diagnostiquait un cancer mineur chez son patient.

Rapidement traité, M. Lavallée décida alors de profiter davantage de la vie et mit son commerce en vente. Un commerce dont vous vous portiez acquéreur quelques années plus tard.

Vous n'avez pas rénové depuis l'achat, mais vous avez modifié la gamme de produits offerts pour vous adresser à une clientèle plus large. C'est à ce changement de philosophie que vous imputez l'augmentation de votre chiffre d'affaires au cours de la dernière année.

L'organisation

Comme le démontre l'organigramme suivant, l'organisation occupe présentement 20 personnes. Trois personnes relèvent directement de vous, soit Daniel Lemay à l'expédition, Julie Montour à l'administration et Gilles Desmarais aux ventes. De ces trois personnes clés dépendent les autres membres de l'organisation.

Remarquez que c'est là une représentation formelle de votre organisation. Dans les faits, vous supervisez directement le travail de chacun, et les rôles varient considérablement selon les circonstances et le travail à faire. Il n'est pas rare, au mois de juillet, de voir des vendeurs participer à la livraison ou, lors des périodes de ventes massives, de voir des livreurs placer des articles dans le magasin.

Ils ne sont pas les seuls. Vous-même sautez d'une activité à une autre, aidant l'expéditeur le matin, servant quelques clients tout au long de la journée et donnant un coup de main à la comptabilité quand il n'y a rien d'autre à faire. De plus, en tant que directeur général, vous vous êtes réservé la responsabilité des achats, un facteur critique de succès dans le commerce de détail.

Le roulement du personnel est faible, et chacun semble heureux de son travail. Vous pensez que cela est attribuable au fait que tous vos employés sont près du centre de décision et que chacun peut donner son avis avant une décision importante.

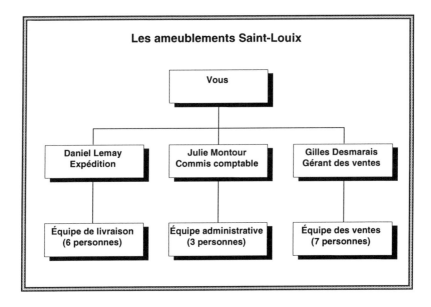

Présentation du dernier état des résultats

Ventes		3 300 000 $	100,0 %
Coût des ventes			
Achats	2 517 900		
Stocks de fin	910 800		
Stocks de départ	825 000	2 432 100 $	73,7 %
Marge bénéficiaire brute		867 900 $	26,3 %
Dépenses			
Salaires, traitement, etc.	333 300		
Réparation et entretien	23 100		
Carburant	17 000		
Services publics	33 000		
Location	69 300		
Frais financiers	59 400		
Honoraires prof.	13 200		
Publicité	82 500		
Livraison	26 400		
Assurances	10 800		
Amortissement	29 700		
Divers	105 600	803 300 $	24,3 %
Marge bénéficiaire nette		64 600 $	2,0 %

Présentation de Saint-Louix

Petite ville de l'Estrie, Saint-Louix porterait son nom, selon la rumeur, en mémoire de Louix Estak, un jésuite en provenance de Toulouse qui aurait aidé les colons qui se sont installés dans la région. Cette ville comprend 40 000 habitants, mais, si on ajoute la population des villages environnants, l'agglomération réunit près de 50 000 âmes. Plus du quart de cette population n'habitait pas la région il y a 10 ans.

Longtemps confiné dans le cercle vicieux du monoindustrialisme (parce qu'il y avait seulement un manufacturier de meubles), Saint-Louix a connu ces dernières années une importante diversification économique (appareillage électronique, ventilation et verre couché) et connaît aujourd'hui un taux de chômage inférieur à la moyenne québécoise. Sa population, cependant, reste moins scolarisée, signe que ce sont les chaînes de production plutôt que les sièges sociaux qui s'installent dans la région. Mais tout cela devrait changer bientôt : la commission scolaire locale vient tout juste de signer une entente avec quelques industries, et un régime coopératif faisant alterner les sessions de travail et d'études devrait être mis en application dès l'automne.

Que réserve l'avenir à Saint-Louix? Un centre communautaire devrait être construit l'an prochain pour desservir les nouveaux quartiers résidentiels, et de nouvelles maisons évolutives seront mises en vente cet automne, ce qui aidera les jeunes couples à acheter leur première maison.

Ces développements résidentiels augurent bien pour le marché du meuble, et c'est précisément pour cela que Meubli-Mart s'apprête à envahir votre région, attiré par les prévisions de croissance et l'assurance qu'une population jeune et originaire de l'extérieur n'a pas encore développé de sentiment d'appartenance envers un commerce particulier.

Ce que vous savez de Meubli-Mart

Ce que vous savez concernant votre adversaire date déjà de quelques années. Quand vous avez accédé à la présidence de Meubles populaires, Meubli-Mart venait justement de créer une crise en cessant de s'approvisionner chez vous au profit d'un autre grand fabricant des États-Unis qui lui offrait ses produits à un coût légèrement moindre.

Cette chaîne regroupe des magasins corporatifs à la grandeur du Canada et suit une stratégie de domination de marché : guerre de prix dans les régions où elle s'établit, puis remontée des prix à mesure que les compétiteurs ferment leurs portes.

Selon les dernières indications, quand vous avez quitté Meubles populaires, leur chiffre d'affaires annuel voguait vers les 700 millions. Leurs ventes se concluent, dans 40 % des cas, par l'achat d'électroménagers et, dans 60 % des autres cas, par l'acquisition de meubles d'intérieur. Meubli-Mart a procédé, à la fin des années 1980, à un financement boursier et poursuit depuis lors une stratégie d'expansion. Nul ne sait où elle s'arrêtera. C'est un adversaire redoutable qui sait se servir de son pouvoir d'achat pour négocier à son avantage avec les fournisseurs.

Index thématique

Pour en savoir plus

Ces ouvrages constituent un complément à l'aventure que vous venez de vivre. Vous trouverez sur cette page les titres ainsi que quelques thèmes explorés.

1. Pour en savoir plus sur la revitalisation d'une entreprise stagnante : Samson, Alain, *Survoltez votre entreprise!*, les Éditions TRANSCONTINENTAL, Montréal, 1994, 192 p.

2. Pour savoir comment se battre contre les grandes chaînes : Taylor, Don et Archer, Jeanne S., *Up against the Wal-Marts*, AMACOM, 1994, 258 p.

Stone, Kenneth E., *Competing with the Retail Giants*, Wiley, 1995, 259 p.

3. Pour savoir comment certains ont réussi à faire face à plus grands qu'eux : Bérard, Diane, «Résister aux géants», dans *PME, le magazine de l'entrepreneurship au Québec*, octobre 1994, p. 7–12.

4. Pour connaître la vie du fondateur de Wal-Mart : Trimble, Vance H., *Sam Walton, the Inside Story of America's Richest Man*, Dutton, 1990, 319 p.

5. Pour augmenter votre chiffre d'affaires : Samson, Alain, *Faites sonner la caisse!!!*, Les Éditions TRANSCONTINENTAL, Montréal, 1995, 216 p.

6. Pour mettre de la vie dans votre commerce : Falk, Edgar A., *1001 Ideas to Create Retail Excitement*, Prentice Hall, 1994, 304 p.